圖書館學小叢書

資訊檢索

黃 慕 萱

臺灣 *學生書局* 印行

謹以此書獻給

親愛的父母親

自 序

　　資訊檢索一直是資訊科學最重要的研究領域之一。在已邁入資訊時代的今日，隨著知識和資訊的巨幅成長，如何在資訊汪洋中掌握相關資訊，已成為學者和工商企業致勝的關鍵。因此，處於轉型期之圖書資訊學界，更應將資訊檢索視為讀者服務之重點工作，並藉此提升服務品質，以充分滿足讀者之資訊需求。

　　本書從理論和實務二個不同的層面探討資訊檢索，務求二者相輔相成，相互為用。在理論方面，本書首先介紹資訊系統之基本架構，其次說明檢索必備之資料庫結構、資料庫索引法、及索引典結構等知識，而後探討參考晤談的重要性及其理想的進行方式，最後則嘗試從各種不同的角度探討檢索評估，以期掌握高品質之檢索結果。在實務方面，本書除以功能分析的方式介紹國內惟一的大型線上檢索系統－－STICNET 之選項式語言及世界最大書目資料庫－－ Dialog 系統之指令式語言外，更詳加說明各種檢索策略和檢索技巧，並進一步區分檢索類型，以期讀者能視需求之不同適時地加以運用。同時，為蒐集檢索實例，筆者投入相當的時間與金錢，實際上線查詢 Dialog 系統，以求得較具代表性之檢索實例，使理論與實務的說明更趨完善。

　　本書為作者研究及教學之心得結晶。返國數年來，承蒙師長的提攜及同儕的關愛，深感在心！本書雖力求完妥，然受限於時間及個人才力，疏漏自所難免，尚祈學界與業界先進不吝賜教為禱！

　　本書承台大圖書館學研究所王慧玉及曾繁絹二位同學協助打字、排版、校對和編製索引等事宜，特此致謝！最後，感謝父母親的愛護與幫忙，以及外子的支持與鼓勵，使筆者在教書、研究之餘，能專心撰稿，而無後顧之憂，在此致上最深的謝意！

　　　　　　　　　　　　　　黃慕萱　謹識

　　　　　　　　　　　　　　民國 85 年 3 月

　　　　　　　　　　　　　　於國立台灣大學

目　次

圖 表 目 次

第一章 資訊系統概論

在我們周遭的環境中，充斥著各式各樣不同的資訊系統，例如銀行、郵局的自動查帳及自動存提款系統、各大醫院的電腦語音預約系統和圖書館之線上公用目錄等。Soergel 在其 1986 年獲得美國資訊學會最佳書本獎的作品中曾經對資訊系統下過定義，他認爲舉凡能提供解決問題所需資訊的系統，即可通稱爲資訊系統（註 1 ）。因此，書本（不管其爲工具書或非工具書）、個人紀錄或卡片目錄等，皆可視爲資訊系統。具體而言，資訊系統是使用者和資訊之間的橋樑，它的功能在幫助使用者獲得其解決問題所需的資訊，因此系統專家必須充分了解使用者所提出的問題和其可能之解答，方能設計理想之資訊系統。

資訊系統不管以何種型態存在，資訊一定要經過儲存的過程，才有可能提供使用者檢索，但儲存並不是將資訊無序地堆積，必須將其加以組織整理，使用者才能正確迅速地找到所需資訊，否則在資訊汪洋中，使用者很難找到所謂「相關」的資訊。以圖書館爲例，由於書本爲資訊的載體，爲了方便讀者找到相關書目，分類編目的方式應之而生；同樣地，索引與摘要等方法也是爲了有效組織整理期刊文章所承載的資訊而被廣爲採用。也就是說，資訊必須儲存以後才能檢索，但組織整理資訊的好壞卻直接影響讀者對資訊的實質使用。

其實人類最常使用的資訊系統是自己的大腦，人腦可以說是最強而有力的資訊系統之一，也是眾多資訊系統爭相模擬的主要對象。在使用者掛帥的今日，系統設計的趨勢不是讓人類去適應電腦，而是讓電腦學習人類的思考邏輯。事實上，人腦的效力是超乎想像的，在人際溝通上，使用者往往可以得到能夠直接利用的相關資訊，這正是資訊溝通管道以非正式管道爲主的重要原因。舉例而言，人腦可以馬上回答聖母峰的高度，也可能很快將某些資訊過濾釐清，讓使用者立即掌握可以利用的資訊。

試以「你住在哪裡？」之簡單問題勾畫大腦資訊系統的回答問題能力，上述問題的可能答案有：

「太平洋上的一個美麗島」

「台灣」

「台北」

「台大附近」

「辛亥路」

「辛亥路一段 3 號 2 樓」

「那棟黃色的樓房」

如果你正在填一份正式表格，你可能毫不猶豫的填下「台北市辛亥路一段 3 號 2 樓」；如果你在加州海岸漫步，有位金髮碧眼的男士問你此問題，你的回答可能是「台灣」，如果他不曾聽過台灣，你可能必須對台灣做更進一步的描述，那「太平洋上的美麗島」就是最適合的答案；如果在一個普通聚會中，你的答案通常會是「台北」或是「辛亥路」；但如果你走在辛亥路上，有人問及此問題，你的答案可能是「那棟黃色的房子」。上述各種狀況，聰明的大腦會自行判斷，給予最適合的答案，但若要電腦來回答上述問題，那可能就會頻出狀況。試想，當你走在台北街頭時，你問不太深交的朋友家住何處，而朋友的回答卻是「台灣」時，你一定覺得他很不友善，但這個答案在某些場合，卻是同樣問題的最適切答案。

　　事實上，電腦的最大優點在於計算的快速與正確，而且其記憶體大且永不失憶；而人腦則因具備常識，常可因時因地因人做出各種正確且合乎人情的判斷。但人腦常有一些奇怪且非邏輯性的聯想和推理，同時檢索速度高低落差很大，甚至有忘記答案的可能性。在理想的狀況下，希望能將人腦和電腦的優點結合，但如此「純粹理性」和「超強能力」的結合，可能使世界變得更為可怕，因此退而希望電腦能具有和人相同的思考方式與推理邏輯。中國人沒有將"computer"翻譯為「計算機」，而將其譯為「電腦」，就是一種先見之明。

第一節 資訊系統的結構

資訊系統提供使用者解決問題所需的資訊，因此系統設計者必須整理使用者可能提出的問題，並尋求解決這些問題的具體資訊，使系統具備將相關資訊提供給資訊需求者的能力。圖 1-1 表示一最簡單資訊系統的結構，在此架構中，輸入可以分為二個部分，一部分是使用者的問題或資訊需求，另一部分是資訊或其實體（註 2 ），因此資訊系統的重要工作就是結合特定問題及其正確且適當的解答，幫助使用者檢索到相關資訊，也就是輸出使用者所需資訊。

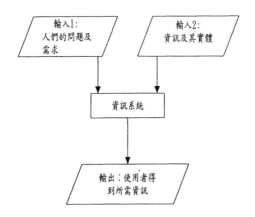

圖1-1：簡單之資訊系統結構

資料來源：Dagobert Soergel, Organizing Information:
Principles of Data Base and Retrieval Systems
(New York: Academic Press, 1985), p. 3.

　　圖 1-2 是以圖 1-1 為基礎所發展出的完整資訊系統架構，在此圖形中，輸入與輸出均維持不變，但資訊系統的部分則變得非常複雜。在蒐集整理問題與資訊後，必須借助資訊儲存與檢索系統找出使用者所需的資訊，而檢索到的相關資訊可以直接提供給使用者，或是經過處理加工後再送給讀者。同時，系統設計者也可以將使用者之資訊需求整理建檔，或是加強公共關係等，讓潛在讀者能知道系統所提供的服務。現就問題輸入部分、資訊輸入部分、輸出部分及公共關係四部分，對資訊系統做更深入的探討。（註 3 ）

　　一、問題輸入部分，其作業流程包括：

(1)蒐集特定讀者之資訊需求：了解和蒐集讀者之資訊需求是資訊從業人員的主要職責之一，系統設計者可以針對各種問題蒐集可用資訊，充分滿足特定使用者之資訊需求。一般而言，不管是實際使用者或是潛在使用者，他們的特定資訊需求對系統分析都很有幫助。（註 4 ）

(2)蒐集一般性之資訊需求：蒐集一般性資訊需求是資訊系統提供服務的基礎，因此系統設計者必須分析整理一般使用者的資訊需求並建立其優先順序，據此發展出選擇整理資訊的標準，以滿足一般使用者之資訊需求。（註 5 ）

(3)建立資訊需求檔：將所蒐集之一般性及特定讀者之資訊需求建檔，建檔的內容除了問題及資訊需求的陳述

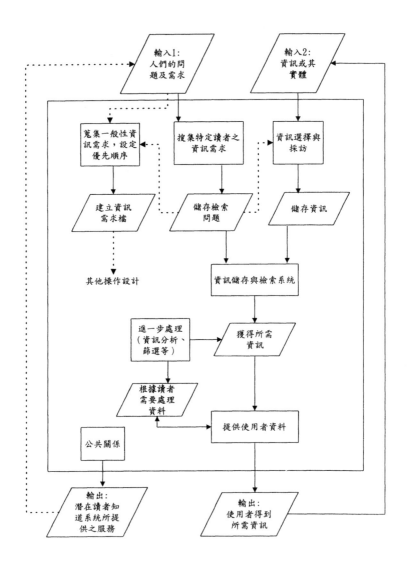

圖 1-2 ：完整之資訊系統結構

資料來源： Dagobert Soergel, Organizing Information:
Principles of Data Base and Retrieval Systems
(New York: Academic Press, 1985), p. 47.

外，尚須包含讀者之背景資料，藉此了解讀者檢索的
動機和目的。

(4)儲存檢索問題：將所蒐集到的資訊需求轉為檢索問題
加以儲存，其中一些特定的資訊需求可以檢索敘述的
型態儲存。

二、資訊輸入部分，其作業流程包括：

(1)資訊選擇與採訪：在資訊氾濫的今日，必須根據已蒐
集之特定性及一般性資訊需求來制定選擇資訊的標
準，此處所指的選採資訊並不是組織資訊，只是決定
哪些資訊將被收錄於資料庫之中。

(2)儲存資訊：決定哪些資訊將被收錄後，即可將此資訊
儲存於資料庫中。

三、輸出部分，其作業流程包括：

(1)獲得所需資訊：當讀者問題與儲存資訊進行比對後，
就可以檢索出系統認為「相關」的資訊，檢索所獲之
相關資訊可以直接提供讀者，也可以經過進一步處理
後再提供讀者。（註6）

(2)進一步處理：將檢索所得資訊做進一步處理，例如分
析資訊內容或摘錄資訊內容，使資訊能讓讀者直接利
用。這種「加值」的功夫，是今日資訊系統設計的一
種趨勢。也就是說，經過進一步處理，系統提供使用
者的應不僅是可能包含資訊的文件或是經由文件間
接取得資訊，而是提供讀者直接可以利用的資訊。(註

7)

(3)根據讀者需要處理資料：這也是一種加值的功夫，資訊系統可以根據讀者需要設計輸出格式及輸出內容，讓資訊對讀者更具意義。如此讀者不但可以直接利用資訊，也可以快速找到所需資訊。

(4)提供使用者資料：不管有沒有經過加值處理，所檢索到之資料都必須提供給使用者，也就是說，提供使用者的資料可能是資訊本身（經過加值處理），也可能是包含所需資訊的文件（未經加值處理）。

四、公共關係部分，其作業流程包括：

(1)公共關係：由於資訊系統的服務顧客眾多，因此資訊系統必須和顧客間建立良好的公共關係。一般而言，建立公共關係的第一步在告知顧客系統所提供的服務，但良好公共關係的維護卻只能依靠優良的服務品質，而非任何宣傳行銷所能取代。（註8）

(2)使潛在讀者知道系統所提供的服務：資訊系統的服務對象不應局限於提出問題或資訊需求的少數顧客，必須擴及對潛在讀者的服務。因此，加強和潛在讀者間的公共關係非常重要。一般而言，可以宣傳作為開端，主動告知讀者資訊系統所提供的各項服務，藉此改善和潛在讀者間的公共關係。

總之，凡能提供使用者解決問題所需資訊的系統，都可以泛稱為資訊系統。但若要設計一良好之資訊系統，則必須充分掌握使用者的問題和解答問題所需的資訊。再者，在提供資料時，最好能將資料加值處理，使讀者能直接迅速獲得可利用之資訊，同時必須加強資訊系統和顧客間的公共關係，才能充分發揮資訊系統的功能。

第二節 資訊儲存與檢索系統

　　圖 1-2 中唯一沒有詳加敘述的流程為資訊儲存與檢索系統，此部分可視為資訊系統的核心部分。事實上，資訊儲存與檢索系統是圖書資訊學在資訊系統中最關心的部分，其結構相當複雜，至少包含資訊的整理和問題的陳述二大部分。圖 1-3 顯示資訊儲存與檢索系統的結構。

　　如圖 1-3 所示，資訊儲存與檢索系統可分為儲存線、檢索線和系統三大部分。使用者可在檢索線上輸入檢索敘述，查詢儲存線上是否有相關資料可供利用，如果使用者對檢索所得資訊感到滿意，此次檢索可謂圓滿完成；如果使用者對檢索所得並不滿意，那就必須由檢索者在檢索線上作修改，或由系統設計者在儲存線上作修正。一般而言，在檢索線上所作的修正通常為改變檢索敘述，而在儲存線上所作的修正則為更改資訊與其載體之間的關係，如更改某篇文章索引所用的敘述語等。現就檢索線、儲存線和系統三部分的關係進行更深入的探討。

　　就檢索線而言，除在圖 1-2 已介紹過之儲存檢索過程

外，尚包括下列作業流程：（註9）

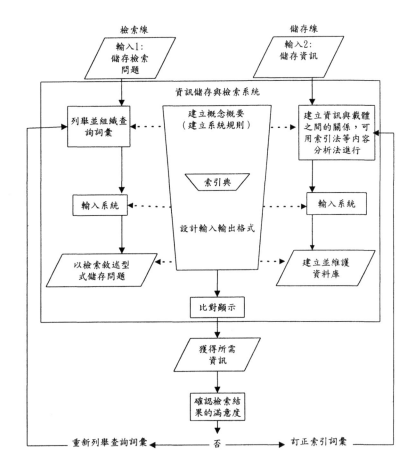

圖 1-3：資訊儲存與檢索系統之結構

資料來源： Dagobert Soergel, Organizing Information: Principles of Data Base and Retrieval Systems (New York: Academic Press, 1985), p. 58.

(1)列舉並組織查詢詞彙：目前一般之資訊系統，尤其是書目型資料庫，無法將檢索問題以日常生活的口語或自然語言輸入，必須將其轉換成系統所能接受的語言才能進行檢索。一般而言，系統語言（或稱為資訊語言）都是利用詞彙來表達檢索問題的概念，再使用布林邏輯運算元（ Boolean logic operators ）或相近運算元（ proximity operators ）結合不同的詞彙。因此當使用者在檢索線時，無法以口語來陳述問題，必須將心中的問題轉換成查詢詞彙，並以上述二種運算元加以組合，方能為系統所接受。

(2)輸入系統：當檢索者將檢索問題以詞彙和詞彙運算元表示後，即可輸入系統進行檢索。

(3)以檢索敘述型式儲存問題：當擬定詞彙及其運算元後，可將問題以檢索敘述的方式儲存於資料庫中，也就是說，將資訊需求以檢索敘述的型式儲存。可藉此整理使用者之資訊需求，建立使用者之資訊需求檔，也可以直接利用儲存的檢索敘述進行專題選粹服務，毋須重複輸入相同的檢索策略及檢索詞彙。

就儲存線而言，除在圖 1-2 已介紹過之儲存資訊外，尚包括下列作業流程：

(1)建立資訊與其載體之間的關係：資訊存於各種不同型式之載體中，如大腦、書本、期刊論文等，因此必須建立資訊與其載體之間的關係，使用者才能在眾多載

體中找到自己需要的資訊。建立資訊與其載體之間的
關係是一種智慧處理（ intellectual process ） 的工作
（或稱之為內容分析），可以用多種不同的方法達成
此目的，圖書資訊界所使用之分類、編目、索引及摘
要等方法，就是為達成上述目的而產生的。

(2)輸入系統：當資訊與載體之間的關係確定後，即可將
其輸入電腦提供使用者檢索。

(3)建立並維護資料庫：當大量資訊與其載體透過分類、
編目、索引與摘要等方式建立彼此關係並儲存於系統
後，即可形成資料庫。資料庫除建立外，尚有維護的
工作，這些工作都需要投入大量人力，才能使資料庫
穩定成長。

圖 1-3 的倒漏斗圖形，即資訊儲存與檢索之心臟部分，
是由相當重要的概念概要（ conceptual schema ）、索引典、
及輸入輸出格式等部分共同組成。首先討論概念概要，它可
以說是系統設計者蒐集資料的依據，其地位相當重要。一般
而言，概念概要定義資料庫的內容（ 不管是智慧內容
(intellectual content)或邏輯內容(logic content)），並建立選
擇資訊的規則及組織檢索語言的規則。（註 10 ）。因此對
資訊儲存與檢索系統之設計者而言，擬定概念概要是最重要
的工作之一。其次討論索引典，一般而言，索引典中的詞彙
可 分 為 敘 述 語 （ descriptors ） 和 引 導 語 （ lead-in
vocabulary ），敘述語是可以用來描述資訊及檢索敘述的詞

彙，而引導語則不能直接使用在描述資訊及檢索敘述上，它的功能是指引使用者到合適的敘述語上。（註 11 ）索引典在書目資料庫中佔有十分重要的地位，因爲目前書目資料的組織主要是透過索引與摘要的方式，因此不管描述資訊或是撰寫檢索敘述，都必須透過索引典來做詞彙轉換的工作。雖說自然語言逐漸盛行，提供讀者另一種選擇，使用者可直接以關鍵字進行檢索，但因爲檢索效果不同，因此索引典還是持續在書目資料庫中扮演重要的角色。至於輸入輸出的格式，系統必須決定可供輸入輸出的欄位、這些欄位顯示的方式、以及讀者在輸入輸出上所能決定的彈性範圍等。上述輸入輸出的格式，必須在資訊儲存與檢索系統中加以規範，才能充分發揮系統在輸入輸出上應具備的功能。

事實上，各類型資訊系統整理資訊的方式各有不同，圖1-3 可以說是典型書目資訊系統的雛形，因爲其他類型之資訊系統很可能不採用分編或是索摘的方式整理資訊，因此也就沒有所謂的索引典或是詞彙轉換工作。可以預知的是，在可見的未來，圖書資訊從業人員仍會以同樣的分編與索摘的方式作爲整理資料的主要方式，所以圖 1-3 之資訊儲存與檢索系統結構將會繼續屹立一段時間。

第三節 線上資訊檢索系統

在介紹完資訊系統和資訊儲存與檢索系統後，現在進入本書的核心－－線上資訊檢索系統。圖 1-4 顯示一典型的線上資訊檢索系統。一般而言，線上資訊檢索系統的必備要件包含電腦終端設備（可能是一台終端機，也可能是具備終端機的一台微電腦或工作站）、通訊設備（可能透過數據機，也可能透過網路）及資料庫。因此，線上檢索可以簡單地定義為：檢索者利用電腦終端設備，透過電話線（數據轉換機，modem）及電信通訊網路（如網際網路，Internet）與線上系統的電腦主機連線，以檢索資料庫內包含資訊之資料。（註12）

由圖 1-4 可以清楚地看出檢索者是在終端機前透過通訊設備檢索資料庫中的資料，而資料庫的建立則和檢索服務（search service）提供者及資料庫製造商（database producer）有密切關係。現在針對圖 1-4 進行更進一步的說明。首先討論檢索者（searchers）的部分，事實上，線上資料庫的檢索者大致可分為二大類，一是終端使用者（end-users，或稱為資訊需求者），一是資訊中介者（intermediary）。一般而言，本身具有資訊需求的檢索者為終端使用者，而不具資訊需求的代檢者則為資訊中介者；（註 13）換言之，終端使用者和資訊需求者的區別在是否擁有資訊需求，而非檢索技巧的優劣。舉例來說，一位熟諳檢索技巧的館員，其職業為資訊中介者；但當他為個人研究之需求進行線上檢索時，其所扮演之角色即為終端使用者，而非資訊中介者。反之，未受過線上檢索訓練者，當其為友人檢索時，儘管其檢索技巧非常生疏，但他所扮演的角色無疑是資訊中介者。

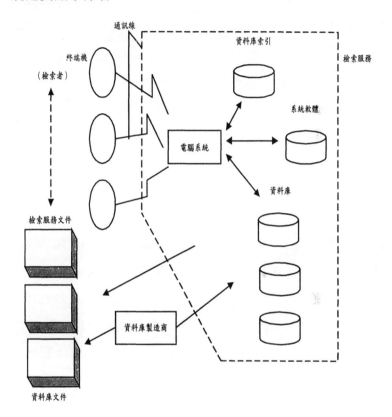

圖 1-4 ：線上檢索系統

資料來源： Stephen P. Harter, Online Information Retrieval:
Concepts, Principles, and Techniques (New York:
Academic Press, 1986), p. 5.

　　圖 1-4 中的檢索服務提供者和資料庫製造商在線上檢索系統中扮演不可或缺的角色，其中檢索服務提供者的功能在提供公用的線上檢索服務，而資料庫製造商則以出版機讀之

來源資料庫(source database)或參考資料庫(referral database)
爲職責。（註 14）試以 ERIC 資料庫爲例，它是由美國國家
教育機構（ National Institute of Education ）之教育資源資訊
中心（ Educational Resources Information Center ， ERIC ）
所出版，因此 ERIC 是一資料庫的名稱，也是一資料庫製造
商。對一般大眾而言，若要檢索 ERIC 資料庫，必須透過公
用檢索服務系統，如 Dialog （ 現改名 Knight-Ridder
Information Service ）、 BRS 、 SDC 、 CompuServe 、或是
台灣的 STICNET 等。也就是說， Dialog 檢索系統是一檢索
服務系統，雖然它包含 450 多個不同的資料庫，但檢索者可
利用其所提供的同一種檢索服務（外顯爲同一種檢索語言）
檢索所有資料庫。值得一提的是，資料庫製造商也可能是提
供檢索服務的機構，例如美國國家醫學圖書館，它製造了
Medline 資料庫，所以它是一資料庫製造商，但它也發展出
自己的檢索語言提供讀者檢索 Medline 資料庫，因此它同時
也是檢索服務機構。但一般而言，大部分的檢索服務機構所
提供之資料庫都非自己生產，而且大多數的資料庫皆可透過
數個不同的檢索服務機構提供檢索，也就是說，資料庫製造
商可以將相同的資料庫，賣給不同的檢索服務機構，當然，
檢索服務機構也可以進行資料庫之出版工作，只是這種情況
並不十分普遍。

　　事實上，資料庫製造商所建之原始資料檔（ original
file ），將透過檢索服務提供者將其轉換爲線形檔（ linear

file）和倒置檔（ inverted file ），以便使用者正確迅速地檢索所需資訊。（註 15 ）也就是說，檢索服務提供者所擁有之龐大資料庫雖由資料庫製造商提供，但必須經由其完成各種索引工作，同時配合系統軟體，讀者才能成功地檢索資料。圖 1-4 中的虛線部分清楚地描繪出檢索服務提供者所涵蓋的範圍，同時，檢索服務機構必須提供檢索服務使用手冊，資料庫製造商必須提供資料庫使用手冊，如此檢索者才能充分掌握系統所提供的檢索功能和檢索欄位等檢索所需之資訊。（註 16 ）

　　由圖 1-4 可以總結得知，線上檢索是檢索者和電腦系統間之互動行為，良好之線上檢索有賴檢索者、資料庫製造商和檢索服務提供者之充分配合。因此，若想完成一高品質之檢索，除了檢索者本身的檢索技巧外，資料庫製造商所蒐集的資料內容及檢索服務機構所提供檢索語言之優劣，甚至其所提供之使用手冊的可讀性，都可能產生決定性的影響。

附　註

註 1:Dagobert Soergel, Organizing Information: Principles of Data Base and Retrieval Systems (New York: Academic Press, 1985), p. 3.

註 2:Soergel, op. cit., p. 3.

註 3:後段文字除標明出處之段落外，其餘是由筆者根據圖 1-2 自行闡述。

註 4:Soergel, op. cit., pp. 44-45.

註 5:Ibid., pp. 46-49.

註 6:Ibid., pp. 45-46.

註 7:Ibid., p. 46.

註 8:Ibid., p. 49.

註 9:此部分文字雖根據圖 1-3 而來，但在 Soergel 書中並沒有文字敘述，因此文字部分為筆者根據圖 1-3 自行闡述。

註 10:Soergel, op. cit., p. 59.

註 11:Ibid., p. 60.

註 12:Stephen P. Harter, Online Information Retrieval: Concepts, Principles, and Techniques (New York: Academic Press, 1986), p. 5.

註 13:Ibid., p. 3.

註 14:Ibid., pp. 9-10.

註 15:Ibid., p. 74.

註 16:Ibid., pp. 72-76.

第二章 資料庫結構

　　優良的檢索者除了充分掌握讀者之資訊需求及熟悉各種檢索策略和技巧外，還必須對資料庫結構有相當的了解，只有完全了解資料的儲存方式及其結構，才有可能完成一高品質之檢索。由於資訊的整理組織方式對檢索有其決定性的影響，因此本章的重點在討論目前大型書目資料庫之資料庫與檔案結構，也就是介紹資料庫製造商和檢索服務提供者所製造之原始資料檔、線形檔和倒置檔，同時探討上述資料庫結構方式對線上檢索可能產生的影響。

第一節 緒論

　　論述資料庫結構的專書將資料庫中組織資料的方式大致分為三種：網路型、階層型和關係型，目前大致上以關係型之資料組織方式為市場之主流。（註１）同時，在電子計算機概論之專書中也都會概述資料庫之組織和結構，經常提及循序檔（ sequential file ）、隨機檔（ random file ）、及索引循序檔（ index-sequential file ）等不同的檔案管理方法。（註２）但由於目前大型檢索服務最常用的紀錄結構和檔案組織方式是線形檔和倒置檔並存，因此本章並不打算介紹上述資料及檔案結構組織方式，而將討論的方向擺在書目紀錄結構與欄位及線形檔和倒置檔的特色，進而探討它們對線上檢索可能產生的影響。

在討論資料庫或書目紀錄之前，必須先對紀錄（record）加以定義，一般而言，紀錄在書目資料庫中（即所謂書目紀錄）是指用來儲存以供檢索之文件描述（註3），然而紀錄的對象不應局限於文件，它可以是對任何事物的描述。另外一個需要定義的名詞是實體（entity），實體係指儲存資訊的事物（註4），因此它可能是一本書、一篇文章、或是一本博士論文等。在資料庫設計的過程中，必須先將實體轉換為紀錄，也就是以屬性（attribute）來描述實體，然後更進一步做成紀錄，以供事後檢索之用。舉例而言，如果書本是資料庫設計者欲描述的實體，一般用來描述該實體的屬性可能有書名、作者、出版商、出版地、出版日期和頁數等，對應每一個屬性，該實體都含有一對應的屬性值（value of attribute）。表2-1即以盧秀菊教授所著之〔圖書館規劃之研究〕一實體為例，說明其屬性和屬性值間之關係。

至於一般最常見的名詞「欄位」（field），到底和屬性或屬性值有什麼關係呢？一般而言，欄位的定義是用來描述屬性值的一串字元（註5），它可能包含次欄位（subfield），也可能不包含任何次欄位。以出版項為例，如果資料庫製造商或檢索服務機構以出版項為一欄位，則此欄位至少可包含

下列五項次欄位：出版地、出版商、出版日期、出版地和出版機構等。（註6）

表 2-1：〔圖書館規劃之研究〕其屬性與屬性值

屬性	屬性值
作者	盧秀菊
書名	圖書館規劃之研究
出版商	學生書局
出版地	台北
出版年	1988
頁數	298

　　總之，資料庫是由許多紀錄所組成，而紀錄則是由欄位組成，欄位又可能由次欄位所構成。因此在探討書目資料庫前，一定得對書目紀錄欄位有相當的了解。

第二節　書目紀錄結構與欄位

　　本節將以 Knight-Ridder 系統為主，探討書目紀錄結構與欄位。由於業務上的擴展，Dialog 系統已與 DataStar 公司合併，並於 1995 年元月正式更名為 Knight-Ridder Information Service。事實上，Dialog 公司早在 1988 年即被 Knight-Ridder 公司收購，因此這次改名並不令人意外（註 7），但因為 Dialog 系統之名稱行之有年，新版之資料庫目錄或是藍頁（Bluesheets）仍持掛 Dialog 系統之名，只是附加說明其為

Knight-Ridder 公司所生產。 Dialog 系統原為全世界最大之書目資料庫，如今再與 DataStar 結合，其在書目資料庫的龍頭地位更加穩固。

在 Dialog 系統 450 餘個資料庫中，和圖書資訊科學最相關的有三： ERIC（在 Dialog 系統之資料庫編號為 1 ）、LISA（資料庫編號 61 ）和 Information Science Abstracts （資料庫編號 202 ）。由於本書的主要閱讀對象為圖書資訊學系學生，因此在介紹書目紀錄之結構與欄位時，即以這三個資料庫為例。同時，上述三資料庫中，又以 ERIC 可供檢索的欄位較多且較具特色，所以許多描述紀錄結構與欄位的部分就僅以 ERIC 資料庫為例。一般而言，在檢索 Knight-Ridder 資料庫時，檢索者必備的參考資料為 *Searching Dialog: The Complete Guide* ，因其以淺藍色紙印刷， 一般通稱為藍頁（ Bluesheets ）。如果需要更詳細的參考資料，可以閱讀 *Database Chapters* ，由於其以白色紙印刷，一般通稱為白頁（ Whitesheets ）。（註 8 ）

上述三個資料庫， ERIC 和 LISA 的藍頁皆為 1987 年出版，至今尚未有修正版（註 9 ），而 Information Science Abstracts 之藍頁則在 1993 年 7 月修正，它的原始版本出版於 1983 年 8 月。（註 10 ） ERIC 資料庫是由美國國家教育機構（ National Institute of Education ）之教育資源資訊中心（ Educational Resources Information Center ， ERIC ）所發展出有關教育學方面最詳盡的資料庫。事實上， ERIC 是由教育資源（ Resources in Education ， RIE ）和最新教育期刊論文索引（ Current Index to Journal in Education ， CIJE ）二部分所組成，其中教育資源蒐集即時且具價值之教育學研究報告，最新教育期刊論文索引則蒐集 700 多種和教育學有關領域之重要期刊。（註 11 ） LISA 爲 Library and Information Science Abstracts 的簡稱，它包含 60 多個不同國家所出版之 550 種圖書館學與資訊科學期刊，涵蓋對象遠遠超愈傳統圖書館學的範疇，很多屬於資訊科學的研究皆收錄其中。（註 12 ）至於 Information Science Abstracts ，它包含資訊科學之重要書籍、研究報告、會議論文、期刊論文和專利等。（註 13 ）若以 Information Science Abstracts 資料庫爲例，詳細檢視其藍頁，可發現資訊科學被分爲下列 23 個子領域（註 14 ）：

◎索引與摘要	◎文件傳遞	◎醫學資訊	◎人工智慧
◎教育科技	◎多媒體系統	◎書目計量學	◎電子出版
◎線上資訊檢索	◎分類編目	◎資訊管理	◎光碟與雷射科技
◎光碟科技	◎資訊系統設計	◎標準	◎電腦
◎資訊理論	◎超電腦	◎決策支援	◎圖書館行政
◎通訊	◎管理資訊系統	◎虛擬實境	

　　現以 Information Science Abstracts 爲例，繼續討論 Knight-Ridder 系統中紀錄之結構與欄位。一般而言， Knight-Ridder 系統中每一個資料庫都包含數十萬筆以上的

紀錄，Information Science Abstracts 在 1993 年 7 月時所收錄
之資料筆數為 166,000 筆（註 15），其中每一筆紀錄都是由
相同的欄位所構成。由於 Knight-Ridder 系統於 1993 年 7 月
時更新 Information Science Abstracts 資料庫之藍頁，因此特
別以圖 2-1 和圖 2-2 分別顯示其在更新前（1983 年版之
Information Science Abstracts 藍頁）和更新後（1993 年版之
Information Science Abstracts 藍頁）紀錄所載欄位之不同。
在 1983 年到 1993 年 7 月之間，每一個紀錄在 Information
Science Abstracts 中，用以描述的欄位都相當簡單，僅包括
Dialog 流水號（Dialog Accession Number，簡稱為 AN）、
題名（Title，簡稱為 TI）、著者（Author，簡稱為 AU）、
作者所屬機構（Author Affiliation，簡稱 CS）、作品來源
（Source，簡稱 SO）、摘要（Abstract，簡稱 AB）、摘
要來源（Abstract Source，簡稱 AS）、敘述語（Descriptor，
簡稱 DE）及識別語（Identifiers，簡稱 ID）。在 1993 年 7
月檔案重新組織後，用來描述紀錄的欄位增加 8 項，其中包
括資料類型（Document Type，簡稱 DT）、資料庫流水號
（ISA Document Number，簡稱 BN，有別於 Dialog 流水號）、
作者所屬國家（Country of Author Affiliation，簡稱 CA）、
期刊名稱（Journal Name，簡稱 JN）、.出版語言
（Language，簡稱 LA）、出版年代（Publication Year，
簡稱 PY）、主題分類標題（Subject Class Header，簡稱 SH）
及主題分類代碼（ISA Subject Classification Code，簡稱

SC ）。同時，有二個欄位在檔案改組後被刪除，分別是識別語（以主題分類標題及其代碼取代之）及摘要來源，可能因其較無檢索價值所致。

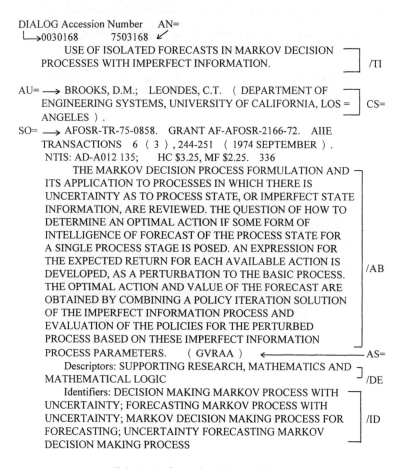

圖 2-1 ： Information Science Abstracts
之紀錄結構與欄位（ 1983 年版）

資料來源："Information Science Abstracts," inSearching
Dialog : The Complete Guide (Palo Alto, C.A. :
Dialog InformationServices, 1983), p.202-2.

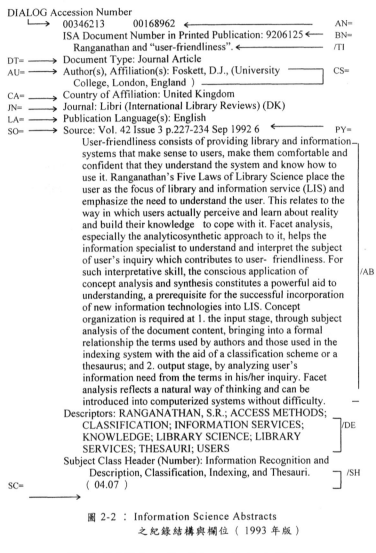

DIALOG Accession Number
└──→   00346213   00168962 ←──────────────────   AN=
        ISA Document Number in Printed Publication: 9206125 ←── BN=
        Ranganathan and "user-friendliness". ←──────────   /TI
DT= ──→ Document Type: Journal Article
AU= ──→ Author(s), Affiliation(s): Foskett, D.J., (University ──┐ CS=
        College, London, England) ──────────────┘
CA= ──→ Country of Affiliation: United Kingdom
JN= ──→ Journal: Libri (International Library Reviews) (DK)
LA= ──→ Publication Language(s): English
SO= ──→ Source: Vol. 42 Issue 3 p.227-234 Sep 1992 6 ←──── PY=
        User-friendliness consists of providing library and information
        systems that make sense to users, make them comfortable and
        confident that they understand the system and know how to
        use it. Ranganathan's Five Laws of Library Science place the
        user as the focus of library and information service (LIS) and
        emphasize the need to understand the user. This relates to the
        way in which users actually perceive and learn about reality
        and build their knowledge   to cope with it. Facet analysis,
        especially the analyticosynthetic approach to it, helps the
        information specialist to understand and interpret the subject
        of user's inquiry which contributes to user- friendliness. For
        such interpretative skill, the conscious application of   /AB
        concept analysis and synthesis constitutes a powerful aid to
        understanding, a prerequisite for the successful incorporation
        of new information technologies into LIS. Concept
        organization is required at 1. the input stage, through subject
        analysis of the document content, bringing into a formal
        relationship the terms used by authors and those used in the
        indexing system with the aid of a classification scheme or a
        thesaurus; and 2. output stage, by analyzing user's
        information need from the terms in his/her inquiry. Facet
        analysis reflects a natural way of thinking and can be
        introduced into computerized systems without difficulty. ─
        Descriptors: RANGANATHAN, S.R.; ACCESS METHODS;
        CLASSIFICATION; INFORMATION SERVICES;   ┐/DE
        KNOWLEDGE; LIBRARY SCIENCE; LIBRARY
        SERVICES; THESAURI; USERS   ┘
        Subject Class Header (Number): Information Recognition and
        Description, Classification, Indexing, and Thesauri. ┐ /SH
SC=   (04.07)   ┘
──────→

圖 2-2 ： Information Science Abstracts
        之紀錄結構與欄位（ 1993 年版 ）

資料來源："Information Science Abstracts," in
        Searching Dialog : The Complete Guide
        (Palo Alto, C.A. : Dialog Information
        Services, 1993), p.202-2.

　　圖 2-1 和圖 2-2 是說明資料庫製造商和檢索服務機構不同之最好實例。 Information Science Abstracts 是由 IFI/Plenum Data Company 所製作出版，因此 IFI/Plenum Data Company 即為一資料庫製造商，它負責生產、維護並修改 Information Science Abstracts 資料庫，如果使用者對資料庫內容有所質疑，並不是向 Knight-Ridder Information Service 申訴，而是直接告知資料庫製造商。而檢索服務機構（從前為 Dialog Information Service ，現在則為 Knight-Ridder Information Service ）在製作倒置檔時，在 1993 年前是將作品來源視為單一欄位，因此不能以年代或期刊名稱等欄位在此資料庫中單獨檢索。由此可知，即使是讀者認為非常普遍的檢索欄位，例如年代或期刊名稱，也不是在所有資料庫中皆可檢索。也就是說，儘管資料庫製造商曾蒐集建檔某欄位之資料，但檢索服務機構並未對應做出倒置檔，因此還是無法提供讀者檢索。具體而言，資料庫製造商若未蒐集該欄位之資料，檢索服務機構無論如何也不可能將該欄位提供讀者檢索，只有在資料庫製造商收錄此欄位的情況下，檢索服務機構才有能力決定是否提供此欄位供顧客檢索。

　　上述二圖除更進一步說明資料庫製造商和檢索服務機構之不同外，也提醒讀者不要假設任何資料庫均提供一些相當普遍的欄位檢索。在 Dialog 尚未重新將 Information Science Abstracts 組檔前，很多使用者在多重資料庫中利用年代或期刊名稱檢索時，往往忽略系統提示，誤以為自己已在

Information Science Abstracts 中檢索成功，事實上，由於那時 Information Science Abstracts 並未提供年代檢索，因此系統自動跳過此資料庫，造成僅在其他資料庫檢索的遺憾事實。所以檢索者在檢索前，如果時間精力許可的話，最好能詳細查閱藍頁，以了解該資料庫可供檢索的欄位，避免發生上述嚴重過失而不自覺。

事實上，資料庫製造商在發展資料庫時，必須充分考慮使用者可能利用之所有欄位，否則檢索服務機構就沒有提供此欄位檢索的可能性。教育資源資訊中心在建 ERIC 資料庫時，蒐集建檔的欄位相當多，除了一些老舊或專供程式設計師使用的欄位，表 2-2 列出 ERIC 資料庫用來描述資料或文件之所有欄位。

表 2-2 總計列舉了 28 種描述 ERIC 文件的欄位，由此可知教育資源資訊中心在決定欄位時的考慮相當周延，一些利用性不太高的欄位都在收錄之列，例如變更資料日期、合約號碼和獎助號碼等。雖然部分欄位被使用的機率相當低，但利用這些檢索欄位（如資料交換中心和資料型態等），往往可以提高檢索績效與滿意度。至於引用文獻欄位，由於 ERIC 資料庫製造商並未收錄此欄位，因此除非資料庫製造商重新再蒐集有關引用文獻的資料， Knight-Ridder 或其他檢索服務機構不可能在 ERIC 資料庫中提供有關引用文獻之欄位檢索。

表 2-2 ： ERIC 資料庫之欄位及其說明

資料建檔日期（ **Add Date** ）
　　資料鍵入資料庫之日期。

變更資料日期（ **Change Date** ）
　　資料最後一次異動之日期。

流水號（ **Accession Number** ）
　　資料之流水號，在教育資源資料庫中皆以 " ED " 英文字母
　　開頭，後面緊跟 6 位阿拉伯數字。

資料交換中心流水號（ **Clearinghouse Accession Number** ）
　　資料交換中心所賦予之流水號，前二位為資料交換中心代
　　碼。

資料型態（ **Publication Type** ）。
　　以三個阿拉伯數字來代表資料類型，如書本代碼為 010，會
　　議論文代碼為 150 等。

出版日期（ **Publication Date** ）
　　文件之出版日期。

題名（ **Title** ）
　　文件之題名及副題名。

個人作者（ **Personal Author** ）
　　文件之個人作者。

執行機構代碼（ **Institution Code** ）
　　ERIC 賦予報告執行機構之文數字代碼。

贊助機構代碼（ **Sponsoring Agency Code** ）
　　ERIC 賦予報告贊助機構之文數字代碼。

敘述語（ **Descriptors** ）
　　由索引典中找出之用以描述文件內容之詞彙。

識別語（ **Identifiers** ）
　　文件中出現之足以識別該文件之重要自然語言詞彙。

價格（ **EDRS Price** ）
　　文件的紙本或微縮影片的價格。

敘述註解（ **Descriptive Note** ）
　　編目中對文件所含資訊之進一步註解。

頁數（ **Page** ）
　　文件之總頁數。

表 2-2 : ERIC 資料庫之欄位及其說明（續一）

層次（ **Level** ）
　　ERIC 文件複印服務處（ Eric Document Reproduction
　　Service ， EDRS ）所標示的獲取程度代碼。

卷期（ **Issue** ）
　　期刊文章之卷期。

摘要（ **Abstract** ）
　　文件之摘要。

報告號碼（ **Report Number** ）
　　技術報告執行機構所賦予報告之唯一辨識碼。

合約號碼（ **Contract Number** ）
　　用以標示報告執行者或執行機構所簽合約之文數字代碼。

獎助號碼（ **Grant Number** ）
　　用以標示報告所獲獎助之文數字代碼。

計畫號碼（ **Project Number** ）
　　贊助機構在決定補助計畫時所賦予計畫之號碼。

館藏地（ **Availability** ）
　　除 ERIC 文件複印服務處外，其他可獲得該文件的地方。

期刊資料來源（ **Journal Citation** ）
　　標示期刊文章之出處，包括刊名、卷期、頁數及日期等資料。

地理資源（ **Geographic Source** ）
　　標示文章或報告的國家代碼，必要時可附加次級行政單位，
　　如省、州等。

政府層級（ **Governmental Status** ）
　　標示出版報告之政府層級，如聯邦政府、州政府、地方政府、
　　外國政府等。

執行機構名稱（ **Institution Name** ）
　　執行機構之名稱。

贊助機構名稱（ **Sponsoring Agency Name** ）
　　贊助機構之名稱。

資料來源： Stephen P. Harter, Online Information
　　　　　　Retrieval : Concepts, Principles, and
　　　　　　Techniques (New York : Academic Press,
　　　　　　1986), pp.69-70.

　　上文曾提及資料交換中心，一般而言， ERIC 資料庫中有 16 個資料交換中心，與其在藍頁上所標示之主題領域完全吻合，也就是說，每一個主題領域的資源均由特定交換中心蒐集。表 2-3 說明 ERIC 之主題領域名稱及其資料中心代碼。

表 2-3 ：ERIC 之主題領域及其資料中心代碼表

資料中心代碼	主題領域
CE	成人、生涯和職業教育
CG	諮商和個人服務
PS	國民教育和學前教育
EA	教育管理
EC	特殊管理
HE	高等教育
IR	教育資源
JC	專科教育
FL	語言和語言學
CS	閱讀和溝通技巧
RC	郊區學校和小學校
SE	自然科學教育
SO	社會科學教育
SP	師資培育
TM	測驗、測量和評估
UD	都會教育

資料來源：此表係作者參考"Reference Guide to ERIC," in Database Chapters (Palo Alto, C.A. : Dialog Information Services, 1987), p.1-27 及 "ERIC," in Searching Dialog : The Complete Guide (Palo Alto, C.A. : Dialog Information Services, 1987), p.1-1 二份資料整理而成。

在 ERIC 資料庫之 16 個主題領域中,圖書資訊科學明顯的被歸入教育資源領域,因此在檢索圖書資訊學方面的資料時,就可利用資料交換中心來區別不同學科領域的同義詞。例如相關(relevance)在教育學和圖書資訊學各有其特殊意義,因此圖書館學研究者若在 ERIC 資料庫中輸入此詞彙,教育學方面有關相關的文獻也會同時出現在檢索結果中。若要避免上述情況發生,只要將檢索結果限制於教育資源(代碼 IR)資料交換所內的文獻即可。

至於資料型態欄位之檢索,當使用者欲尋找某種特定資料型態的文獻時,就可以利用此欄位進行檢索,例如某人要找尋演講稿或是統計資料等,都可利用資料型態代碼成功地限制資料類型。表 2-4 顯示 ERIC 資料庫中可供檢索的資料型態及其代碼,其包含的範圍相當廣,舉凡錄影帶、字典、名錄、測驗卷、博士論文、碩士論文等,都有屬於自己的資料型態代碼。(註 16)這些資料型態代碼在教育方面的資料庫相當管用,因為教師經常會有心中屬意的特殊資料型態(如測驗卷、錄影帶或是統計資料等),檢索者可充分利用資料型態欄位檢索來滿足其特殊需要。

總之,上線前熟悉檢索服務提供者和資料庫製造商所出版之參考文件,是成功檢索不可或缺的重要步驟,由於檢索服務提供者對資料庫製造商所提供的資料有不同的利用程度,有些資料庫製造商所建立之欄位在此檢索服務機構中不能提供檢索,或是僅供顯示而不能檢索,因此優良的檢索者必須熟知檢索服務機構在檔案結構和檢索欄位所做的決定，才能提高檢索效率。

表 2-4 ： ERIC 資料庫收錄之資料型態及其代碼表

資料型態	資料型態代碼	資料型態	資料型態代碼
錄影帶	100	驗證理論之文章	043
書目資料	131	參考資料	130
書本	010	報告	140
會議論文	150	研究報告	143
會議紀錄	021	叢刊	022
字典	134	演講	150
名錄	132	統計資料	110
博士論文	041	測驗卷	160
指南	050	論文	040
碩士論文	042	字彙表	134
多種語文資料	171		

資料來源："Reference Guide to ERIC," in
Database Chapters (Palo Alto, C.A. :
Dialog Information Services, 1987),
p.1-31.

第三節 基本檔案結構

目前大型檢索服務大多採用線形檔和倒置檔爲資料庫最基本的檔案結構。線形檔通稱爲列印檔（ print file ），因其依每一筆資料的編號連續儲存而得名。（註 17 ）在書目資料庫中，通常以一篇文章或一本書來代表一筆紀錄，對每一筆紀錄皆以固定欄位依序描述其屬性，而紀錄在資料庫中則是根據流水號依序排列。以儲存學生成績之資料庫為例，此資料庫可以學生學號為序建立線形檔，詳載每個學生各科目的成績。但若有查詢者想知道國文考 90 分以上的人數，在線形檔中則必須由第一筆紀錄尋找至最後一筆紀錄，才能確知國文 90 分以上之人數，因此每一次檢索所耗費的時間都相當長。試想在擁有數十萬、數百萬甚至上億筆資料的大型書目資料庫中，若用線形檔來檢索資料，所花費的檢索時間實非一般讀者所能忍受。（註 18 ）

倒置檔是為提高檢索速度而發展出的檔案組織技術，它必須和線形檔同時使用，才能充分發揮檢索效益。一般而言，倒置檔又稱索引檔（ index file ），它將線形檔中每一個可供檢索的字依字母順序排列，並指出此字在線形檔中的位置，如此不但可以知道此字曾出現在哪些紀錄中，同時也方便檢索者直接調閱該紀錄。（註 19 ）同樣以上述學生成績資料庫為例，若想知道國文 90 分以上的人數，只要在倒置檔中檢索，即可快速得到答案；如果還想知道這些人其他科目的成績，也可以從線形檔中快速轉錄出他們的其他成績。

說明倒置檔和線形檔關係的最好實例是書後索引。在一本沒有索引的書中，讀者若想尋找書中之特定資訊，那他很可能必須從頭讀到尾；但如果書後賦予索引的話，讀者可以依據索引標示的頁數，很快找到資訊所在。事實上，線形檔就像沒有索引的書，尋找資訊時必須由第一筆紀錄閱讀至最後一筆紀錄，耗費在檢索上的時間自然很長；而倒置檔正像書後的索引，可以幫助讀者快速找到所需資訊。在 Knight-Ridder 系統中，除了線形檔外，檢索服務機構還提供了三個倒置檔（索引檔）：基本索引檔（ basic index file ）、附加索引檔（ additional index file ）及索引典檔（ thesaurus index file ）。現以 Knight-Ridder 系統中各檔案爲例，進一步說明其資料庫結構。

(1) 線形檔：

　　圖 2-3 是一個常用來描述線形檔的例子（註 20 ），其包含 ERIC 資料庫中之二筆資料，分別是流水號 30249 和流水號 30156 二筆紀錄。在線形檔中，屬性值依一定的排列順序儲存，其在圖 2-3 中的排列順序爲：流水號、題名、作者、資料來源、語言、摘要和敘述語。仔細檢視圖 2-3 ，發現除了停字（系統中不能檢索的字稱爲停字）外，每個字都標明其所在欄位和出現的順序，例如" postpurchase "，此字曾出現在紀錄 30249 題名第一個字（標示爲 TI1 ）和摘要第五個字（標示爲 AB5 ）。正因爲標示出欄位和字詞出現的位置，才有可能做特殊欄位檢索和相近運算元檢索。另外要說明的是，圖 2-3 中斜線劃掉的字都是停字，如紀錄 30249 中題名之" and "及摘要中之" of "等。

30249　(accession number)

Postpurchase consumer evaluations, complaint actions and repurchase
　TI1　　　　TI2　　　　　TI3　　　TI4　　　　TI5　　　　　TI7
behavior.
TI8
Francken, Dick A.
　AU
Journal of Economic Psychology,　1984 Nov Vol 4(3) 273-290
　JN　　　　　　　　　　　　　PY
Language: ENGLISH　Document Type: JOURNAL ARTICLE
　　　　LA　　　　　　　　　DT
Presents a model of postpurchase evaluation processes, which is
　AB1　AB2 AB3　　AB5　　　　　　　AB6　　　AB7　　　AB8 AB9
used as a theoretical framework for explaining different kinds of consumer
AB10 AB11 AB12　AB13　　　AB14　　　　AB16　　　AB17　　AB18　　　　AB20
complaint actions.
　AB21　　　AB22
Descriptors: CONSUMER ATTITUDES (11470); CONSUMER
　　　　　　　　　DE1　　　　DE2　　　DC　　　　DE3
BEHAVIOR (11480)
　DE4　　　DC

30156　(accession number)
Labor force participation of metropolitan, nonmetropolitan, and farm
　TI1　　TI2　　TI3　　　　　　TI5　　　　　TI6　　　　　　TI8
women: A comparative study.
　TI9　TI10　TI11　　　TI12
Bokemeier, Janet L.; Sachs, Carolyn; Keith, Verna
　AU　　　　　　　　AU　　　　　　AU
Rural Sociology,　1984 Win Vol 48(4) 515-539
　JN　　　　　　PY
Language: ENGLISH　Document Type: JOURNAL ARTICLE
　　　　LA　　　　　　　　　DT
Examined data from 937 metropolitan, 3631 nonfarm-nonmetropolitan,
　AB1　　　AB2　　　　AB4　　　AB5　　　AB6　　AB7　　　　AB8
and 1231 farm women (18 - 65 yrs of age) from Kentucky to compare
　AB10　AB11　　AB12　AB13 AB14 AB15　AB17　　　　　AB19　　　　AB21
personal, socioeconomic, and family characteristics and the occupations and
　AB22　　　AB23　　　　　　AB25　　AB26　　　　　　　AB29
industries of women in the labor force.
AB31　　　　AB33　AB34　AB36　AB37
Descriptors: EMPLOYMENT STATUS (17196); HUMAN FEMALES (23450)
　　　　　　　　DE1　　　　　DE2　DC　　　DE3　　　DE4　　DC
URBAN ENVIRONMENTS (54940); RURAL ENVIRONMENTS (45040)
　DE5　　　　　DE6　　　　DC　　DE7　　　DE8　　　　DC

圖 2-3 ：線形檔範例

資料來源：DIALOG System Seminar Manual (Palo Alto,
　　　　　C.A. : Dialog Information Services, 1987),
　　　　　Problem Set 3.1.1, p.20.

(2)基本索引檔：

　　一般而言，基本索引檔是將書目紀錄中和主題有關的欄位及其資訊做成倒置檔，但每個資料庫中基本索引檔所收錄的欄位不盡相同，例如 ERIC 資料庫中的基本索引檔包括摘要、敘述語、識別語、註解（note）和題名五種欄位（註 21），而 Information Science Abstracts 包括摘要、敘述語、主題分類標目（subject classification header）和題名四種欄位（註 22）；LISA 資料庫則包括摘要、敘述語、註解、章節標題（section heading）和題名五種欄位（註 23）。由此可知，檢索者若要了解基本索引檔所收錄的欄位，全憑臆測恐怕會和事實產生差距，最好的方式可能只有事先檢閱藍頁一途。

　　圖 2-4 將圖 2-3 中之 2 筆紀錄以倒置檔方式製成基本索引檔。在圖 2-4 中，所有和主題有關的字都依照字母順序排列，同時標示出其在線形檔中的位置（必須同時註明所屬紀錄之流水號、該字出現的欄位及其出現在此欄位中的位置）。例如 complaint 一字，曾出現於紀錄 30249 之摘要第 21 個字及題名第 4 個字，而 females 則出現在紀錄 30156 之敘述語第 4 個字。圖 2-4 最下方是停字表，在 Knight-Ridder 系統中共有 9 個停字，分別是"an"、"for"、"the"、"and"、"from"、"to"、"by"、"of"和"with"。值得注意的是，停字中並不包含冠詞"a"，所以在圖 2-4 中基本索引

檔第一個字是 " a "，分別出現於紀錄 30249 之摘要第
二個字、摘要第 12 個字及紀錄 30156 之題名第 10 個字。
事實上，早期線上檢索系統曾將 " a " 列為停字，但由
於很多檢索非常需要 " a " 來識別，如「維他命 A 」和
「A 形肝炎」等，因此 " a " 字在目前一般大型檢索服
務機構，大多被視為可供檢索的字。

　　以圖 2-4 為例，如果檢索者想尋找有關 consumer 的
文章，那系統可以立刻進入基本索引檔，告知檢索者僅
有一篇文章探討此主題（紀錄 30249 ）。 因此倒置檔
的設置，大大提高檢索速度，系統不必重頭搜尋至尾，
而是進入按字母順序排列的基本索引檔中，馬上得到答
案。

(3)附加索引檔：

　　附加索引檔是除基本索引檔外，其他可供讀者檢索
之欄位所組成的倒置檔，因此附加索引檔中的欄位大多
與主題無關。以 ERIC 資料庫為例，其附加索引檔包含
的欄位有 19 種之多，其中比較常見的有作者、資料型
態、期刊名稱、年代和語文等。圖 2-5 顯示一典型之附
加索引檔倒置檔，其和圖 2-3 與圖 2-4 一樣，都是由 30156
和 30249 二筆紀錄組合而成。由圖 2-5 可以發現，倒置
檔是先依欄位的字母順序排列，相同欄位則依欄位內部
資訊之字母順序排列，例如 30249 紀錄的作者為
Francken, Dick A.，而 30156 紀錄的三位作者分別是

a	30249	AB2	in	30156	AB34		
	30249	AB12	industries	30156	AB31		
	30156	TI10	is	30249	AB9		
actions	30249	AB22	kentucky	30156	AB19		
	30249	TI5	kinds	30249	AB18		
age	30156	AB17	labor	30156	AB36		
as	30249	AB11		30156	TI11		
attitudes	30249	DE2	metropolitan	30156	AB5		
behavior	30249	DE4		30156	TI5		
	30249	TI18	model	30249	AB3		
Characteristics	30156	AB26	nofarm	30156	AB7		
comparative	30156	TI11	nonmetropolitan	30156	AB8		
compare	30156	AB21		30156	TI6		
complaint	30249	AB21	occupations	30156	AB29		
	30249	TI4	participation	30156	TI3		
consumer	30249	AB20	personal	30156	AB22		
	30249	DE1	postpurchase	30249	AB5		
	30249	DE3		30249	TI1		
	30249	TI2	presents	30249	AB1		
consumer attitudes	30249	DE1DE2	processes	30249	AB7		
consumer behavior	30249	DE3DE4	repurchase	30249	TI7		
data	30156	AB2	rural	30156	DE7		
different	30249	AB17	rural environments	30156	DE7DE8		
employment	30156	DE1	socioeconomic	30156	AB23		
employment status	30156	DE1DE2	status	30156	DE2		
environments	30156	DE6	study	30156	TI12		
	30156	DE8	theoretical	30249	AB13		
evaluation	30249	AB6	urban	30156	DE5		
evaluations	30249	TI3	urban environments	30156	DE5DE6		
examined	30156	AB1	used	30249	AB10		
explaining	30249	AB16	which	30249	AB8		
family	30156	AB25	women	30156	AB12		
farm	30156	AB11		30156	AB33		
	30156	TI8		30156	TI9		
females	30156	DE4	yrs	30156	AB15		
force	30156	AB37	1231	30156	AB10		
	30156	TI2	18	30156	AB13		
framework	30249	AB14	3631	30156	AB6		
human	30156	DE3	65	30156	AB14		
human females	30156	DE3DE4	937	30156	AB4		

STOP WORDS				
on	for	the	and	from
to	by	of	with	

圖 2-4 ：基本索引檔範例

資料來源： DIALOG System Seminar Manual (Palo Alto, C.A. : Dialog Information Services, 1987), Problem Set 3.1.1, p.20.

Bokemeier, Janet L.、 Sachs, Carolyn 和 Keith, Verna，而他們在附加索引檔中的排列如圖 2-5。

　　假設此附加索引檔僅包含上述二筆紀錄，在完成如圖 2-5 之附加索引檔後，如果使用者想檢索 Verna Keith 的著作，系統可以馬上告知僅有一篇文章（紀錄 30156 ）；如果使用者想知道系統中以英文撰寫之文章篇數，系統也能立刻回應二篇文章（紀錄 30249 和 30156 ）。

AU=Bokemeier, Janet L.	30156
AU=Francken, Dick A.	30249
AU=Keith, Verna	30156
AU=Sachs, Carolyn	30156
DC=11470	30249
DC=11480	30249
DC=17196	30156
DC=23450	30156
DC=45040	30156
DC=54940	30156
DT=Journal of Article	30249
	30156
JN=Journal of Economic Psychology	30249
JN=Rural Sociology	30156
LA=English	30249
	30156
PY=1984	30249
	30156

圖 2-5 ：附加索引檔範例

資料來源: DIALOG System Seminar
Manual (Palo Alto, C.A. : Dialog
Information Services, 1987),
Problem Set 3.1.1, p.21.

(4)索引典檔：

顧名思義，索引典檔之主要用途在提供讀者線上查閱索引典詞彙及其產生之資料筆數。圖 2-6 為一線上索引典之範例，在 Knight-Ridder 系統中，使用者欲查閱線上索引典，必須先鍵入 " expand " 指令，然後將欲檢索之辭彙以圓括弧括之。假設檢索者想查閱圖書館員（ librarians ）之線上索引典，系統會如圖 2-6 一般，顯示出此詞彙的廣義詞、狹義詞和相關詞等。圖 2-6 中 librarians （ R1 ）前附有星號（＊），表示此詞為檢索者輸入之詞彙，其相關詞（ RT ）欄中的數字顯示此詞彙共有 12 個相關詞。線上索引典除可顯示相關詞彙外，還告訴檢索者詞彙和詞彙之間的關係，例如類型（ Type ）中之 B 代表廣義詞，R 代表相關詞，因此得知資訊科學家（ information scientists ， R4 ）是圖書館員之廣義詞，而圖書館（ libraries ， R7 ）則為圖書館員之相關詞；同時，每一個詞彙所產生的資料筆數在線上索引典中均加以標示，例如探討圖書館教育（ library education ， R9 ）的資料筆數有 2366 筆，圖書館學（ library science ， R11)則有 1472 筆。值得注意的是，每筆資料前面都有一參考號碼，一般通稱為 R 號碼，此 R 號碼可以直接提供檢索者使用，也就是說，檢索者在線上檢視索引典之後，不必重新再將所需詞彙一一輸入，只要選擇所需要的 R 號碼即可。

?expand (librarians)

Ref	Items	Type	RT	Index-term
R1	7861		12	*LIBRARIANS
R2	0	U	1	LIBRARY SPECIALISTS
R3	0	U		REFERENCE LIBRARIANS #
R4	424	B	8	INFORMATION SCIENTISTS
R5	1300	B	8	LIBRARY PERSONNEL
R6	235	R	2	LIBRARIAN ATTITUDES
R7	23596	R	44	LIBRARIES
R8	1301	R	7	LIBRARY ASSOCIATIONS
R9	2366	R	7	LIBRARY EDUCATION
R10	1030	R	7	LIBRARY SCHOOLS
R11	1472	R	11	LIBRARY SCIENCE
R12	345	R	9	LIBRARY TECHNICIANS

Enter P or PAGE for more

圖 2-6：索引典檔所顯示之線上索引典範例

資料來源：1995 年 6 月作者自行線上檢索所得

　　除了上述四種檔案外，在檢索時檢索者常會有查閱訊息檔（posting file）的需要。事實上，訊息檔可謂倒置檔的總整理，它將檔案中所有的字依字母順序展現在檢索者眼前，同時告知檢索者包含該字的資料筆數。圖 2-7 為一訊息檔，在 Knight-Ridder 系統中，查閱訊息檔也是利用 " expand " 指令，但不必在詞彙外加上任何括弧。同樣以圖書館員為檢索實例，可以發現 " librarians " 字前有一星號，表示其為檢索者所輸入之詞彙。其他字母順序類似的字則依序排列，

例如圖書館事業（librarianship）有 1309 筆資料，而 libraro
（可能是打字上的錯誤）則僅有一筆資料。由此可知，檢視
訊息檔時，檢索者常可意外發現一些輸入或拼字上的錯誤。
此外，每個詞彙的最前面也有參考號碼，但這些參考號碼是
E 號碼（索引典中為 R 號碼），E 號碼和 R 號碼一樣，讀者
都可以直接選擇使用，不需要將詞彙重新輸入。

?expand   librarians

Ref	Items	RT	Index-term
E1	155		LIBRARIAN TEACHER COOPERATION
E2	3		LIBRARIAN TEACHER RELATIONSHIP
E3	7861	12	*LIBRARIANS
E4	1309	1	LIBRARIANSHIP
E5	1		LIBRARIANSHIP: UNIVERSITY OF OREGON
E6	2		LIBRARIE
E7	23596	44	LIBRARIES （INSTITUTIONS HOUSING COLLECTIONS OF SYSTEMAT...）
E8	11		LIBRARIES AND THE LEARNING SOCIETY
E9	1		LIBRARIES AND THE LEARNING SOCIETY PROJECT
E10	1		LIBRARIES INFORMATION ACCESS SYSTEM
E11	2		LIBRARIES OF THE MISSOURI INFORMATION NETWORK
E12	1		LIBRARO
			Enter P or PAGE for more

圖 2-7：訊息檔範例

資料來源：1995 年 6 月作者自行線上檢索所得

　　簡單地說，在線上檢索系統中，通常是由資料庫製造商建立線形檔，而由檢索服務機構提供倒置檔。一般檢索是在倒置檔中進行，但當檢索者需要列印資料時，則必須經由線形檔才能取得紀錄內容。也就是說，透過倒置檔，使用者可以迅速正確地找到所需資料；而透過線形檔，讀者可以查閱完整紀錄。因此在大型線上檢索系統中，倒置檔和線形檔彼此相輔相成，缺一不可。

附 註

註 1: Jeffery D.Ullman, Principle of Database and Knowledge-Base Systems, vol. 1 (Maryland : Computer Science Press, 1988), pp.32-95.

C. J. Date, An Introduction to Database Systems, 4th ed., vol. 1 (Massachusetts : Addison-Wesley , 1986), pp.3-23.

註 2: Carpon Perron, Computers & Information Systems : Tools for an Information Age, 3rd ed. (Redwood City, C.A. : The Benjamin/Cummings Publishing Co., 1993), pp.126-128.

Trainor Krasnewich, Computers, 4th ed. (New York : Mitchell McGraw-Hill, 1994), p.211.

註 3: Stephen P. Harter, Online Information Retrieval : Concepts, Principles, and Techniques (New York : Academic Press, 1986), p.65.

註 4: James Martin, Computer Data-Base Organization, 2d ed. (Englewood Cliffs, N.J. : Printice-Hall, 1977), pp.48-51.

註 5: Harter, op. cit., pp.65-66.

註 6: Ibid., p.66.

註 7: "Knight-Ridder Information: An Update," Chronology 23 :6 (June 1995), p.95:101.

註 8: Database Chapters (Mountain View, C.A. : Knight-Ridder Information, 1996).

註 9 : "ERIC," in Searching Dialog : The Complete Guide (Palo Alto, C.A. :   Dialog Information Services, 1987), p.1-1 to p.1-4.

"LISA," in Searching Dialog : The Complete Guide (Palo Alto, C.A. : Dialog Information Services, 1987), p.61-1 to p.61-4.

註 10: "Information Science Abstracts," in Searching Dialog : The

Complete Guide (Palo Alto, C.A. : Dialog Information Services, 1983), p.202-1 to p.202-2.

"Information Science Abstracts," in Searching Dialog : The Complete Guide (Palo Alto, C.A. : Dialog Information Services, 1993), p.202-1 to p.202-4.

註 11: Database Catalogue (Mountain View, C.A. : Knight-Ridder Information, 1995), p.58.

註 12: Ibid., p.87.

註 13: Ibid., p.73.

註 14: "Information Science Abstracts," 1993, op. cit. p.202-1.

註 15: Ibid.

註 16: "Reference Guide to ERIC," in Database Chapters (Palo Alto, C.A. : Dialog Information Services, 1987), p.1-1 to p.1-64.

註 17: Harter, op. cit., pp.72-76.

註 18: Ibid., p.72.

註 19: Ibid., pp.72-76.

註 20: DIALOG System Seminar Manual (Palo Alto, C.A. : Dialog Information Services, 1987), Problem Set 3.1.1, p.20.

註 21: "ERIC," op. cit., p.1-3.

註 22: "Information Science Abstracts," 1993, op.cit., p.202-3.

註 23: "LISA," op. cit., p.61-3.

第三章 資料庫索引法及輔助檢索法

　　欲完成一高品質之檢索，除了解資料庫結構外，對資料庫索引法及輔助檢索法也必須有相當的認識才可能達成。因此，本章的重點在討論一些常用的資料庫索引法及輔助檢索法，同時對檢索必讀的藍頁作一完整的介紹，讓讀者充分了解藍頁所能提供的資訊及其對檢索可能產生的影響，進而發揮檢索所能達成的最高效益。

第一節 資料庫索引法

　　資料庫中較常見的索引方法有三種，分別是單字索引法（word indexing）、片語索引法（phrase indexing）、及單字與片語混合索引法（word and phrase indexing）。（註 1）現以 Knight-Ridder 系統中之 ERIC 資料庫爲例，逐一說明上述三種資料庫索引法。

1. 單字索引法

　　若逐字閱讀 ERIC 資料庫之藍頁，可以發現其中純以單字索引法索引的欄位計有六個，分別是基本索引檔中的摘要、註解和題名，及附加索引檔中的館藏地、團體作者和贊助機構。（註 2）由於 ERIC 資料庫中基本索引檔僅有五個欄位，未提及的敘述語和識別語又是以單字與片語混合索引法索引，因此可以歸納得知，和主題有關的欄位（通常是指基本索引檔中的欄位），一般都會以單字索引法進行索引。

所謂單字索引法，就是將欄位中所有可供檢索的字逐一索引，鍵入倒置檔中。以圖 2-3 和 2-4 為例，紀錄 30249 其摘要中的每一個非停字皆被索引（圖 2-3 ），如："presents"是摘要中的第一個字、"a"摘要中第二個字、"model"是摘要中第三個字等，對應轉換為倒置檔後（圖 2-4 ），可發現倒置檔分別指出這三個字所在之紀錄、欄位和位置。一般而言，以單字索引法索引的字，都可以透過後組合（ post-coordination ）之操作，以布林邏輯運算元進行字和字之間的組合，充分發揮後組合的彈性。

2. 片語索引法

ERIC 資料庫中純以片語索引法進行索引的欄位相當多，且其全出現在附加索引檔中（註 3），也就是和主題較無關係的欄位上，如作者、資料型態、期刊名稱和出版語文等。所謂片語索引法，就是以一個獨立款目為單位（如一完整的主題標目或是一完整之作者名稱）來進行索引，而非逐字進行索引。一般而言，作者欄位是片語索引法中一個非常典型的例子，如圖 2-3 和圖 2-5

的例子顯示，紀錄 30156 總共有三位作者，分別是
Bokemeier, Janet L.、 Sachs, Carolyn 和 Keith, Verna，其
在線形檔中都是以作者（ AU ）標示。而這三位作者在
倒置檔中，都是以片語索引法進行索引，再以姓前名後
且姓名中間以逗號隔開的方式儲存。由於作者欄位以片
語方式索引，因此檢索者在檢索時就必須以倒置檔製作
時的著錄方式檢索，甚至所有的標點符號和空格也必須
一致，方可檢索到所需資料。圖 3-1 是在 Knight-Ridder
系統中檢索 Ei Compendex Plus 資料庫之實例，其檢索
目的為蒐集清華大學動機系吳隆庸（ Long-iong Wu ）
教授所發表之學術文章，由於不確定吳教授的英文名字
拼法，因此決定以" expand "指令查詢線上索引典。
如前文所述，作者欄位是以片語方式索引，因而第一次
輸入時所用的" e au=wu-long?"的格式無法產生檢索者
所需之資訊（必須連標點符號和空格都與著錄方式一
致，才是正確的輸入格式）。第二次改以正確名字及格
式輸入時（ e au=wu, long?），發現 E 號碼 1 （E1 ）為
吳教授之英文姓名，因此推得他應該有四篇文章。由於
資訊需求者認為 E 號碼 2 （ E2 ） 很可能仍是吳教授
（ Wu, Long-iong ）的文章，因此要求顯示 E2 之文章，
意外發現資料庫製造商的一個錯誤，因為 E2 的文章確
實為吳隆庸教授所著。（註 4）至於錯誤的產生是因
" iong "的拼法較為奇怪而被刪改，還是資料鍵入者的

眼誤，則無法得知。

b8

26 jun 95 02:46:56 User738530 Session B201.1
$0.75   0.050 Hrs FileHomeBase
$0.75   Estimated cost FileHomeBase
$0.15   ANSNET
$0.90   Estimated cost this search
$0.90   Estimated total session cost   0.050 Hrs.

File   8:Ei Compendex*Plus (TM) 1970-1995/Aug   W1
(c) 1995 Engineering Info. Inc.

Set	Items	Description

?e   au=wu-long?

Ref	Items	Index-term
E1	1	AU=WU-GEN, DENG
E2	1	AU=WU-HUA, ZHU
E3	0	*AU=WU-LONG?
E4	4	AU=WU-YANG CHU
E5	1	AU=WU-YANG, CHU
E6	1	AU=WU-YUAN, C. D.
E7	1	AU=WU-YUAN, T.
E8	1	AU=WU-YUNG, YANG
E9	19	AU=WU, A.
E10	1	AU=WU, A. C.
E11	1	AU=WU, A. C. -H
E12	1	AU=WU, A. CHENG

Enter P or PAGE for more

?e   au=wu, long?

Ref	Items	Index-term
E1	4	AU=WU, LONG-IONG
E2	2	AU=WU, LONG-LONG
E3	0	*AU=WU, LONG?
E4	1	AU=WU, LONGAN
E5	2	AU=WU, LONGWU
E6	1	AU=WU, LONGYE
E7	1	AU=WU, LONGYOU
E8	1	AU=WU, LOUISA
E9	1	AU=WU, LOUISE S. (ED.)
E10	3	AU=WU, LU
E11	1	AU=WU, LU-HAI
E12	1	AU=WU, LLU-ZHOU

Enter P or PAGE for more

?logout

26 jun 95 02:48:15 User738530 Session B201.2
$0.50   0.033 Hrs File8
$0.50   Estimated cost File8
$0.10   ANSNET
$0.60   Estimated cost this search
$1.50   Estimated total session cost   0.083 Hrs

圖 3-1：片語索引法之檢索實例
資料來源：作者於 1995 年 6 月自行線上檢索所得

　　事實上，在進行主題標目或敘述語檢索時，經常會使用片語索引法。再回到圖 2-4 之基本索引檔，可以發現有少數詞彙並非單字索引，而是以片語為索引單位，例如 " consumer attitudes "、" employment status " 或 " human females " 等，這些複合詞都是以片語索引方式儲存在基本索引檔中。以 " consumer attitudes " 之複合詞為例，倒置檔中記載其為敘述語中第一個字和第二個字（ DE1 DE2 ，表示其連續出現），正因上述片語索引方式的存在，控制語言檢索才有可能存在。

3. 單字與片語混合索引法

　　ERIC 資料庫中以單字片語混合索引法索引的欄位只有二個，分別是敘述語和識別語（註 5），也就是說，和主題標目有關的欄位，大多是以單字與片語混合索引法索引。因此，在 ERIC 資料庫中，敘述語和識別語必須被索引二次，一次是單字索引，一次是以片語為單位進行索引，故其能同時保有單字索引法的組合彈性和片語索引法的精確性。換句話說，當檢索者知道控制語彙時，可以採片語檢索以提高精確性；當其不知正確的控制語彙時，也可以用單字組合來進行檢索。

　　由圖 2-3 和 2-4 可以更深入了解單字與片語混合索引法，在圖 2-4 之倒置檔中，以紀錄 30249 中第一個敘述語 " consumer attitudes " 為例，其所出現的位置為敘述語第一個字及第二個字。當其以單字索引法進行索引時，需要分別標示 " consumer " 和 " attitudes " 二字的出處；而當其以片語進行索引時，則只需標明 " consumer attitudes " 一詞的出處。但由於 " consumer attitudes " 是一敘述語，一般敘述語皆是以單字和片語混合索引，因此必須綜合上述二種標示。

最後嘗試以檢索點多寡，清楚地總結上述三種索引方式之不同。同樣以複合詞 " consumer attitudes " 爲例，若使用單字索引法，將會有二個檢索點，分別是 " consumer " 和 " attitudes " ；若使用片語索引法，則僅有 " consumer attitudes " 一檢索點；但若使用單字與片語混合索引法，則會有三個不同的檢索點，其中包含單字索引法的 " consumer " 、 " attitudes " 和片語索引法的 " consumer attitudes "

除了上述三種索引法外，尚有一常見的索引法未被討論，即所謂之數字索引法。以 Dialog 系統中編號 531 之 American Business Directory 資料庫爲例，在其附加索引檔中，有五種欄位是以數字索引法索引，分別是當地分公司雇用人數（ Employees Here ）、公司總雇用人數（ Employees Total ）、公司所在地點數（ Number of Locations ）、公司之 ABI 直接號碼（ ABI Immediate Parent Company Number ）、及銷售量（ Sales ）。（註 6）一般而言，一欄位內所包含的資料全爲數字，即可用數字索引法索引之，以便資料內容完全依據數字大小排列，進行各種排序、比較和計算。上述 American Business Directory 是一名錄型資料庫，所以只包含少數數字索引欄位，若在數據資料庫中，則可能有大量欄位均為數字索引欄位，非常方便進行各類計算，並可產生各種統計圖表。

在論及單字索引法和片語索引法時，曾提到後組合索引的概念，由於其在資訊檢索上非常重要，因此將其與前組合索引合併深入說明。一般而言，後組合索引（ post-coordinate indexing ）又稱為操作型索引（ manipulate indexing ），係指由檢索者在檢索階段自行組合字詞的索引方式，而非索引者在索引階段即已完成字詞組合的索引模式。（註 7）而在索引階段即進行字詞組合的索引方式稱為前組合索引（ pre-coordinate indexing ），一般又通稱為非操作型索引（ nonmanipulate indexing ）。（註8）現假設某篇文章可用下列四個敘述語描述，分別為電腦輔助教學（ computer assisted instructions ）、超媒體（ hypermedia ）、使用者（ users ）和檢索策略（ search strategies ），圖 3-2 顯示其在前組合索引和後組合索引可能之不同組合。由圖 3-2 可得知，若使用後組合索引，讀者可以任意組合二個或二個以上的詞彙；但若使用前組合索引，則檢索者就得依一定的順序陳列詞彙（在本例中依序為超媒體、使用者、電腦輔助教學及檢索策略），否則就無法在資料庫中檢索出該篇文章。事實上，紙本的索引服務通常使用前組合索引，因此讀者的檢索點經常只有一個（必須依序陳述上列四個敘述語），為了

讓讀者能從其他檢索點中檢索出該篇文章，最常用的改良法
方法是系統輪迴法（ systematic rotation ），將此四個敘述語
所有的排列組合都列出來（註 9），因此讀者可以用上述詞
彙的任意排列組合找出此篇文章。但使用系統輪迴法時，將
浪費很多儲存空間，因為每種排列組合的方式都必須加以儲
存。而在電腦應用十分普遍的今日，正是後組合檢索充分發
揮其功能的最佳時機，有了後組合索引，讀者不必記憶或猜
想詞彙組合的順序，也不用擔心使用系統輪迴法所必須浪費
的儲存空間，因此很多資訊檢索的著作都一再強調後組合索
引的重要性。（註 10）

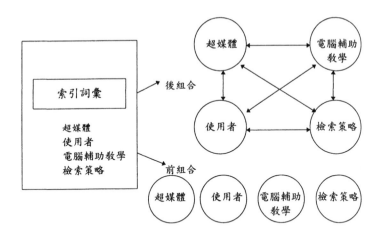

圖 3-2 ：前組合索引與後組合索引之比較圖

第二節 輔助檢索法

　　一般而言，單字索引法必須利用布林邏輯運算元，才能發揮其後組合的功能，而片語索引法缺乏彈性，因此必須藉著相近運算元和切截的應用來減弱其前組合的程度，也就是說，爲了改良資料庫索引法的缺點和提高檢索的品質，大型線上檢索系統分別設計出許多輔助檢索法，其中最常見的即爲上述的布林邏輯運算元、相近運算元、切截及經常被讀者使用的限制欄位檢索法等。現將其分別說明如下：

1. 布林邏輯運算元

　　布林邏輯運算元是數學家 George Boole 所發明，非常適合用來表達概念或集合彼此之間的關係。（註 11）常見的布林邏輯運算元有三，分別說明如下：

(1) AND ：

　　以 A 和 B 二個概念或集合爲例，布林邏輯運算元 AND 會檢索到 A 和 B 共同的部分，也就是 A 和 B 的交集部分；因此在線上檢索上" A AND B "是指所有同時包含 A 概念和 B 概念的文章。圖 3-3 的斜線部分顯示" A AND B "所獲得的結果。

(2) OR ：

　　同樣以 A 和 B 二集合或概念爲例，布林邏輯運算元 OR 應檢索出所有屬於 A 或屬於 B 的全部集合，也就是

A 和 B 的聯集部分。在線上檢索中，" A OR B " 是指
檢索出包含 A 或 B 其中一個概念之所有文章。圖 3-4 顯
示 " A OR B " 指令所產生的結果。

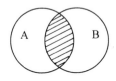

圖 3-3：布林邏輯運算元"AND"

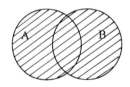

圖 3-4：布林邏輯運算元"OR"

(3) NOT：

再以 A 和 B 二集合或概念為例，" A NOT B " 是
指所有在集合 A 但不在集合 B 中的部分，一般稱作 A
和 B 之間的差別（ difference ）。（註 12）圖 3-5 即為
" A NOT B " 之圖示，在線上檢索中，" A NOT B "
是指檢索出包含 A 概念但並不包含 B 概念之所有文

章。

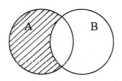

圖 3-5 ：布林邏輯運算元"NOT"

　　布林邏輯運算元雖然是非常普遍的概念，但卻一直
是檢索者操作上最大的困難之一（註 13），尤其是在
操作較為複雜的布林邏輯關係時。一般而言，檢索者在
布林邏輯上最常犯的錯誤多與括弧有關，通常都是忘記
括弧或是放錯括弧位置。例如讀者想檢索有關分類、編
目或索引理論的文章，在 Dialog 系統中，應該使用指令
A 的格式，而非指令 B 的格式（見圖 3-6 ）。比較嚴重
的是，讀者往往不知自己犯下邏輯上的錯誤，而責怪系
統為何找到為數龐大之不相關文獻。

　　指令 A ： ss (cataloging or classification or indexing) and theory
　　指令 B ： ss cataloging or classification or indexing and theory

圖 3-6 ：最常見的布林邏輯錯誤範例

　　最後必須說明的是布林邏輯運算元的優先順序。一
般而言，括弧必須優先執行，如果沒有括弧的話，在

Knight-Ridder 系統中，會先執行 " NOT " ，再執行 " AND " ，最後執行 " OR " 。因此檢索者心中的執行順序若與系統預設的執行順序不同時，勿忘以括弧改變系統對布林邏輯運算元的執行順序。

2. 相近運算元

　　目前大型線上檢索系統所提供的資訊都不限於字詞是否出現於紀錄中，它們大多能提供有關字詞出現位置方面的資訊。（註 14）由圖 2-3 和 2-4 中可看出，線形檔和倒置檔中都不僅標示字詞出現的欄位，同時還記載其出現的位置，正因為掌握字詞出現的位置，所以相近運算元的技術才廣為各系統所應用。一般而言，相近運算元可定義為用來限制字詞出現的順序和間隔之運算元，最常見的相近運算元共有四種，分別說明如下：

(1) 相近運算元 w

　　w 運算元的主要功能在限制單字出現的順序，其規定在 w 之前的字必須出現在前方的位置。如果 w 之前沒有任何阿拉伯數字，表示前後二單字必須緊連出現；如果出現數字 1 （即(1w)），表示前後二單字間可以間隔一個字以內（包含間隔一個字和緊連出現的狀況）；如果出現數字 2 （即(2w)），表示單字間可以插入二個字或二個以內的字，其餘依此類推。

　　例如： ss　information (w) theory

　　　　　　（表示 information 和 theory 必須緊連出現，而

且 information 必須出現在 theory 的前面。）

ss　　information (3w) theory

（表示 information 必須出現在 theory 的前面，
但中間可以插入三個字、二個字、一個字或是
緊連出現，此檢索敘述可以檢索出含有
information theory 、 information processing
theory 等詞彙之文章。）

(2) 相近運算元 n

相近運算元 n 不限制單字出現的順序，但其利用阿
拉伯數字來限制二字之間的間隔。也就是說，如果 n 之
前沒有任何阿拉伯數字，表示這二個字必須緊連出現，
但任何一個字都可以出現在前方；如果 n 之前出現數字
1 （即 1(n) ），表示二單字間可以插入一個單字或是緊
連出現；如果 n 之前出現數字 2 （即(2n) ），則表示二
單字間可以插入二個字或二個字以內的單字，其餘依此
類推。事實上，相近運算元 n 非常適合用在人名檢索上，
因為外國人姓和名的位置常可對換，如果更進一步使用
" 1n "和" 2n "，那連中名（ middle name ）和其他
名字都無所遁形。

例如： ss　　Ronald (n) Reagan

（表示 Ronald 與 Reagan 必須緊連出現，但並未
限制此二字出現之先後順序。）

ss　　Marilyn (2n) White

（表示不限制二字出現的先後順序，而且 Marilyn 和 White 間可以間隔二個字以內，因此包含她的中名或其他名稱。）

(3) 相近運算元 l

　　相近運算元 l 是一特殊且重要的相近運算元，它要求運算元前後的字詞必須屬於同一個敘述語。由於很多綜合性或是多科性的資料庫都是以美國國會主題標目（LCSH）爲索引典，而國會主題標目中同一敘述語常被標點符號（通常是逗點或破折號，有時還不只一個標點符號）隔開，爲了以完整之國會主題標目檢索，l 運算元乃應運而生。

　　例如： ss　　cancer (l) prevention

（用來檢索國會主題標目 cancer-prevention。）

ss　　food habits (l)　　health aspects

（用來檢索國會主題標目 food habit - health aspects。）

(4) 相近運算元 s

　　相近運算元 s 是使用頻率較低的相近運算元，在 Dialog 系統中，其限制運算元前後的字必須出現在同一個副欄位中（註 15），但有些系統則限制運算元前後的詞彙必須出現在同一句子中。因此在使用相近運算元 s 前，最好參閱系統檢索手冊，才能正確地使用每一種相近運算元。

　　例如： ss　information (s) theory

　　　　（限制 information 和 theory 二字必須出現在同

　　　　一副欄位中。）

　　相近運算元亦有其執行的優先順序，在 Knight-Ridder 系統中， w 運算元的順序最高，其次是 n 運算元，再其次是 s 運算元，最後才是 l 運算元。如果欲執行的順序和系統預設的優先順序不同，可以用括號改變系統的優先順序，通常在括號內的條件必須優先執行。

3. 切截

　　在目前的線上檢索系統中，切截是可以直接在倒置檔中完成的一種功能。（註 16）一般而言，切截是指在字根上賦予特殊符號，用來檢索所有字根完全相同的字。依被截部分的位置，切截可以分爲左切截、右切截和中間切截，其中以右切截最爲普遍。切截在各系統中所使用的符號都不同，例如在 Dialog 系統中是以 "?" 表示， BRS 系統中則以 "#" 表示。現以 Dialog（Knight-Ridder）系統爲例，對各種不同的切截功能作一簡介。

　　(1) 開放之右切截

　　　　ss　librar?

　　　　（檢索出所有以 librar 爲字根的字，如 library、libraries 、 librarian 、 librarians 、 librarianship 等。）

(2) 限制字根後僅能允許一個字母之右切截

ss　horse？？

（通常作為控制單複數之用，可檢索到 horse
和 horses。）

(3) 限制字根後能接受數個字母之右切截，通常以問
號數目代表其所能接受之字母數目。

ss　librar？？？

（表示字根後最多只能接受三個字母，因此可檢
索到 library、libraries 和 librarian 等。）

(4) 左切截

ss　？computer

（表示字根前可以任意變化，可檢索出
computer、minicomputer、supercomputer、
microcomputer 等。）

(5) 中間切截，通常為控制英美不同拼音

ss　wom？n

（可檢索出 woman 和 women。）

ss　colo？r

（可檢索出 color 和 colour。）

切截使用得當，可以減少鍵盤輸入的時間；但若切
截的範圍過廣，則可能帶來大量誤引。例如前面所用的
" library " 之例，假設字根的範圍過小，如輸入 " ss
lib？" 之指令，將會檢索到 " liberty "、" liberal "、

"liberation"、"libido"、和"libel"等和圖書館完全無關的字。因此在使用切截時必須非常謹慎,務使切截之範圍大小適中,才能真正提高檢索效益。

4. 限制欄位檢索法

限制欄位檢索法是使用者常用到的一種檢索技巧,主要用來限制檢索字詞出現的欄位。假設檢索者認為摘要中所出現詞彙之代表性不夠,那他可以將檢索欄位限制在題名和敘述語上;或是檢索者已經明確知道自己將進行題名檢索或是作者檢索,他就可以將檢索欄位限制在題名或作者上。現以 Knight-Ridder 系統為例,說明限制欄位檢索的方法。

例: ss library automation /ti, de

(限制 library automation 一詞必須出現在題名或敘述語中。)

ss (introduction and indexing and abstracting) /ti

(限制 introduction 、 indexing 和 abstracting 三詞都必須出現在題名中。)

ss au=Smith, John?

(題名欄位檢索法,即檢索作者為 John Smith 之文章。)

第三節 其他檢索須知

　　欲充分發揮檢索效益,除了解資料庫索引法和一些重要的輔助檢索法外,還必須了解此資料庫中可供檢索、排序和限制的欄位,而獲得上述資訊的最佳捷徑就是熟讀藍頁。以ERIC 為例,藍頁之頁首通常會提供該資料庫之基本資訊,其中包括檔案敘述(file description)、主題範圍(subject coverage)、來源(sources)、 Dialog 檔案資料(Dialog data file)、文件傳遞(document delivery)和出處(origin)等;接下來記載樣本紀錄(sample record)所收錄之欄位;然後描述基本索引檔和附加索引檔所包含之欄位;最後再說明可供限制、排序之欄位及顯示列印資料時所能選擇的格式。

　　有關基本索引檔方面的資訊,以 ERIC 為例,藍頁除說明其基本索引檔中所包含的欄位(在 ERIC 資料庫中有五種欄位,分別是摘要、敘述語、識別語、註解和題名)外(註17),尚說明其資料庫索引的方式,舉例來說,摘要、註解和題名都是單字索引,而敘述語和識別語則採單字與片語混合索引法。一般而言,附加索引檔所提供的資訊項目和基本索引檔完全一樣,例如在資料型態欄位中,它會告知檢索者此欄位是以何種索引方式索引,同時提供檢索此欄位之實際檢索範例。因此,當檢索者無法確定資料庫之基本索引檔和附加索引檔之欄位內容或其索引方式時，最好的參考資料就是藍頁。

　　除了基本索引檔和附加索引檔方面外，藍頁還提供限制檢索（ limiting ）方面之資訊。一般而言，藍頁除先行說明一般的限制項目（如摘要、題名或年代等），還會介紹各資料庫中較特別的限制方式，例如在 ERIC 資料庫中，可以將檢索文獻限制在報告（ ED ）或期刊文獻（ EJ ）中，也可將其限制在檢索主要敘述語（ MAJ ）或次要敘述語（ MIN ）中。（註 18） ERIC 資料庫中的主要敘述語和次要敘述語可以說是一種加權索引，因此當檢索者在 ERIC 資料庫中檢索出過多相關文獻時，可以將檢索範圍限制在主要敘述語中，使檢索結果更加精確。事實上，每個資料庫可供限制的欄位都不盡相同， Information Science Abstracts 資料庫中僅提供英文文獻和非英文文獻方面的限制（ /eng 和/noneng ）（註 19）， LISA 資料庫除提供英文和非英文文獻的限制，尚有現代研究紀錄（ Current Research Record ）和非現代研究紀錄（ Non-Current Research Records ）之限制（其檢索指令的格式爲/cr 和/noncr ）。（註 20）

　　一般而言，如果檢索者沒有特別要求，檢索出的文獻將依年代先後順序排列，也就是說，年代愈新穎的文章擺在愈前面，這種排列法是建立在讀者對最新的文章總是最感興趣的假設上。事實上，很多讀者的確比較喜歡新穎性較高的文章，但還是會有讀者提出不同的要求，例如爲了編製書目的方便，希望按照作者的姓名排列，或是爲了便利尋找原文，希望按照期刊名稱之字母順序排列等。因此系統爲了滿足不同讀者的可能需要，最好能依不同欄位進行排序，藍頁中排序的部分即可告訴讀者哪些欄位可供排序，這些欄位會隨資料庫不同而有所不同，但一般而言，作者姓名、期刊名稱、年代和題名等四個欄位，在大多數資料庫中都屬於可供排序之欄位。

在第二章中曾經提到，白頁提供較藍頁更爲豐富之檢索指引，以 ERIC 資料庫爲例，它的藍頁僅有 4 頁，而白頁卻有 64 頁，其內容多寡之差異可見一斑。舉例而言，在 ERIC 藍頁中得知附加索引檔中有一欄位爲「適用對象」（ target audience ），卻未註明其分類爲何，因此也無法利用此欄位檢索；然而這些資訊在白頁中卻有完整的介紹（註 21 ），其所列適用對象之實質分類表如表 3-1 所示。所以當檢索者有機會參考白頁時，即可針對報告或文章的適用對象，不管是教師或學生，提供最適切的參考資料。

在 ERIC 之藍頁中，附加索引檔尚有一更新（ update ）欄位，其藍頁中所舉之例爲 “ s ud=9999 ”。（註 22）事實上，這個例子幾乎出現在所有資料庫的藍頁中，它所代表的意義是找尋最後一次更新時加入該資料庫之所有新紀錄。檢索服務機構若能提供更新欄位，進行專題選粹服務時就非常方便，因爲只要定期執行預先儲存的檢索策略，系統即會自動將資料更新。當然，更新欄位也可以利用年代來檢索，其

表 3-1 ： ERIC 白頁所列之適用對象分類表

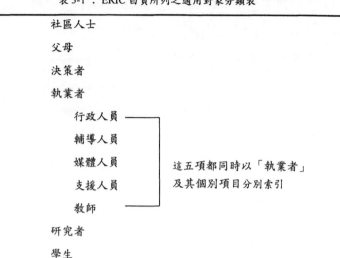

社區人士

父母

決策者

執業者

　　行政人員

　　輔導人員

　　媒體人員　　　　　　　這五項都同時以「執業者」

　　支援人員　　　　　　　及其個別項目分別索引

　　教師

研究者

學生

資料來源：“Reference Guide to ERIC,” in Database
Chapters (Palo Alto, C.A. : Dialog
Information Services, 1987), p.1-39.

格式為 “ ud=yymm ”，其中 yy 代表西元年代的後二位數字，
而 mm 代表月份，例如想檢索 1995 年 3 月更新的文獻，即
可使用 “ ss ud=9503 ” 之檢索敘述來執行。

　　本章延續前章，所探討之資料庫結構方式和資料庫索引
法等都是目前大型線上檢索系統最常採用的方法。一般而
言， Dialog 系統中輸入檢索詞彙是利用 ss 指令(或 s 指令)，
但同樣是用 ss 指令，卻因為附加條件的不同，造成大不相同
的檢索結果，甚至輸入完全相同的檢索詞彙，也會因檢索欄
位的不同而產生不同的檢索結果，所以任何檢索者在檢索

時，都必須完全了解檢索敘述所執行的欄位，這幾乎是優良檢索者不可或缺的檢索常識。為清楚說明在 Dialog 系統中輸入單字和片語的不同，嘗試以「兒童」（ children ）一詞為例，希望將此概念明白表達。在說明之前，首先以「兒童」一詞之線上索引典為例，圖 3-7 即為有關兒童一詞之部分線上索引典，從其中可發現和兒童有關的詞彙共有 49 個，相關文章有 122,519 篇（截至 1995 年 6 月止），它的狹義詞包括收養兒童（ adopted children ）等 12 個，廣義詞只有年齡層（ age groups ）一詞，而相關詞則有青少年（ adolescents ）等 36 個。

一般而言，在 Knight-Ridder 系統中輸入單字時，是表示在基本索引檔中進行檢索，以 ERIC 資料庫為例，則是在摘要、題名、註解、敘述語和識別語中檢索。若欲在敘述語中檢索，則必須在單字後面加上 "/de" 或 "/df"。至於 " df " 和 " de " 的不同， " df " 表示敘述語本身即為一單字，而 " de " 意指敘述語中包含此單字。同樣以 " children " 一詞為例，當讀者下達 " ss children " 之指令時，表示其在基本索引檔中檢索，總計會找到 122,519 篇文章。而讀者輸入 " ss children/de " 時，可以檢索到包含敘述語 " children " 、 " adopted children " 、 " foster children " 、 " hospitalized children " 、或 " problem children " 等含有 " children " 一詞之敘述語。至於 " ss children/df " 則只能檢索到敘述語為 " children " 一詞之文獻。圖 3-8 是 Knight-Ridder 系統中之

? b1

26 jun 95 03:34:41 User738530 Session B203.1
  $0.12 0.008 Hrs FileHomeBase
$0.12 Estimated cost FileHomeBase
$0.02 ANSNET
$0.14 Estimated cost this search
$0.14 Estimated total session cost   0.008 Hrs.
File   1:ERIC 1966-1995 /JUN
    (c) format only 1995 Knight-Ridder Info

   Set Items   Description

?e (children)

Ref	Items	Type	RT	Index-term
R1	122519	U	49	*CHILDREN （ AGED BIRTH THROUGH APPROXIMATELY 12 YEARS ）
R2	0	N	1	CHILDHOOD （ 1966 1980 ）
R3	302	N	7	ADOPTED CHILDREN
R4	437	N	6	FOSTER CHILDREN
R5	141	N	3	GRANDCHILDREN
R6	367	N	5	HOSPITALIZED CHILDREN
R7	208	N	4	LATCHKEY CHILDREN
R8	698	N	8	MIGRANT CHILDREN
R9	2161	N	3	MINORITY GROUP CHILDREN
R10	12	N	6	MISSING CHILDREN
R11	1305	N	5	PREADOLESCENTS
R12	427	N	7	PROBLEM CHILDREN

Enter P or PAGE for more

?P

Ref	Items	Type	RT	Index-term
R13	78	N	7	TRANSIENT CHILDREN
R14	6318	N	8	YOUNG CHILDREN
R15	620	B	11	AGE GROUPS
R16	20115	R	10	ADOLESCENTS
R17	3134	R	15	CHILD ABUSE
R18	1202	R	9	CHILD ADVOCACY
R19	265	R	8	CHILD CUSTODY
R20	8063	R	16	CHILD DEVELOPMENT
R21	111	R	6	CHILD DEVELOPMENT SPECIALISTS
R22	955	R	32	CHILD HEALTH
R23	194	R	5	CHILD LABOR
R24	3423	R	21	CHILD LANGUAGE

Enter P or PAGE for more

圖 3-7 ：「兒童」一詞之線上索引典

資料來源：作者於 1995 年 6 月自行線上檢索所得

檢索實例，可發現同樣為 " children " 一詞，但以其在基本
索引檔（ ss children ）中所檢索到的資料筆數最多， " ss
children/de " 所檢索到的資料筆數次多， " ss children/df "
則檢索出最少之資料筆數。

```
? b1
        30 jun 95 03:47:29 User738530 Session B205.1
                $1.25    0.083 Hrs FileHomeBase
    $1.25    Estimated cost FileHomeBase
    $0.25    ANSNET
    $1.50    Estimated cost this search
    $1.50    Estimated total session cost        0.083 Hrs.
File    1:ERIC        1966-1995 /JUN
        (c)   format only 1995 Knight-Ridder Info

        Set   Items     Description

b1?ss children
        s1   122519     CHILDREN      (AGED BIRTH THROUGH
                        APPROXIMATELY 12 YEARS)
b1?ss children/de
        s2    41137     CHILDREN/DE   (AGED BIRTH THROUGH
                        APPROXIMATELY 12 YEARS)
b1?ss children/df
        s3    14273     CHILDREN/DF   (AGED BIRTH THROUGH
                        APPROXIMATELY 12 YEARS)
```

圖 3-8 ：單字檢索在 Dialog 系統中之實例

資料來源：作者於 1995 年 6 月自行線上檢索所得

　　若是在 Knight-Ridder 系統中輸入複合詞(即為一般所謂
的片語)，則表示在敘述語中進行檢索，這正是很多檢索者
將心中所想的複合詞輸入系統，但卻得到零筆資料的主要原
因。一般而言，使用敘述語檢索，即表示利用控制詞彙檢索，

因此使用的詞彙就必須和控制詞彙完全一樣，所以很多讀者抱怨檢索不到資料，事實上是由於未使用正確的敘述語所致。至於想在基本索引檔中利用複合詞檢索，則必須加上相近運算元或是利用布林邏輯運算元連接單詞。圖 3-6 以亞洲語文（ Asian languages ）一複合詞爲例，說明其不同檢索方式所得到之不同檢索結果。由於 " Asian languages "在 ERIC 索引典中是以複數型態出現，而當此詞以複合語型態出現時會被視爲控制語言檢索，系統所要求的是完全一致的敘述語或主題標目，因此當檢索者輸入 " Asian language "（單數型式）時，就會得到零筆資料，而當讀者以正確型式（ Asian languages ，複數型態）輸入時，會得到 16 筆資料。因此當讀者不能確定敘述語是單數或複數時（通常是複數），可以利用切截巧妙地避開這個問題（ " ss Asian language?" ，如圖 3-9 步驟 3 ）。而當檢索者想在基本索引檔中檢索複合語時，可以利用相近運算元或布林邏輯運算元來達成目的（如圖 3-9 ），不管是以相近運算元或布林邏輯運算元檢索，都會得到較敘述語爲多的檢索結果，而且通常用相近運算元所得到的資料筆數（ 56 筆）會比布林邏輯運算元（ 1,142 筆）少許多，即使是應用切截，相近運算元所產生的資料筆數（ 137 筆）還是比布林運算元（ 1,205 筆）少非常多。

　　最後以一個實例（見圖 3-10 ）說明含有破折號之國會主題標目在 Dialog 系統中之檢索方法。假設讀者想在 Magazine Database 中尋找有關癌症預防的文獻，他知道正確的主題標

```
b1?ss   asian language
        s1        0  ASIAN LANGUAGE
b1?ss   asian languages
        s2       16  ASIAN LANGUAGES
b1?ss   asian language?
        s3       16  ASIAN LANGUAGE?
b1?ss   asian (w) Language
        s4     4692  ASIAN
        s5    98922  LANGUAGE   (SYSTEMATIC MEANS OF
                                 COMMUNICATING IDEAS AND ...)
        s6       56  ASIAN (w) LANGUAGE
b1?ss   asian (w) language?
        s7     4692  ASIAN
        s8   102237  LANGUAGE?
        s9      137  ASIAN (w) LANGUAGE?
b1?ss   asian and language
        s10    4692  ASIAN
        s11   98922  LANGUAGE   (SYSTEMATIC MEANS OF
                                 COMMUNICATING IDEAS AND ...)
        s12    1142  ASIAN AND LANGUAGE
b1?ss   asian and language?
        s13    4692  ASIAN
        s14  102237  LANGUAGE?
        s15    1205  ASIAN AND LANGUAGE?
?logout
        30 jun 95 03:51:58 User738530 Session B205.2
                  $1.25      0.083 Hrs File1
        $1.25     Estimated cost File1
        $0.25     ANSNET
        $1.50     Estimated cost this search
        $3.00     Estimated total session cost         0.166 Hrs
```

圖 3-9 ：複合詞檢索在 Dialog 系統中之實例

資料來源：作者於 1995 年 6 月自行線上檢索所得

目型式應爲 " cancer-prevention " ，如將其依樣畫葫蘆地輸入，會得到零筆資料（如圖 3-2 之步驟 1 ），因爲系統無法接受破折號之檢索。爲了正確檢索此敘述語，必須使用相近運算元 " l "，如圖 3-10 步驟 2。如果檢索者輸入 " ss cancer/de and prevention/de " ，其所得資料筆數會比使用相近運算元 " l "爲多，因爲相近運算元 " l 是要求運算元前後的字出現在同一敘述語中，而上述步驟只是要求這二個單字都必須出現在該篇文章之敘述語中，因此這二個單字有可能出現在不同的敘述語中。

　　第二章與第三章的內容和如何完成一高品質之檢索息息相關，唯有透過了解資料庫結構、資料庫收錄欄位、資料庫索引法、布林邏輯運算元、相近運算元及檢索時之系統預設，同時參考藍頁和白頁上的說明，才能獲得高效益之檢索結果。這些關係檢索成敗的檢索知識，不管對資訊中介者或是終端使用者，都是受用無盡的寶藏。

? b47

File   47:MAGAZINE DATABASE (TM)   1959-1995/Jun 29

*File   47:FILE 47 and 647 were consolidated on 4/22/95.   To retrieve

records use the AA= prefix to search the supplier accession number

Set   Items   Description
_ _ _ _ _ _ _ _ _ _ _ _ _ _ _ _

?ss   cancer-prevention

s1   0   CANCER-PREVENTION

?ss   cancer (ℓ) prevention

s2   7612   CANCER/DE

s3   15479   PREVENTION/DE

s4   686   CANCER (L) PREVENTION

?ss   cancer/de and prevention/de

s5   7612   CANCER/DE

s6   15479   PREVENTION/DE

s7   766   CANCER/DE AND PREVENTION/DE

?logout

30 jun 95 04:00:06 User738530 Session B205.4

$1.50   0.100 Hrs File47

$1.50   Estimated cost File47

$0.30   ANSNET

$1.80   Estimated cost this search

$5.70   Estimated total session cost   0.316 Hrs.

Logoff: level 38.06.04 B   04:00:06

圖 3-10 ：相近運算元"ℓ"之應用實例

資料來源：作者於 1995 年 6 月自行線上檢索所得

附　註

註 1:Stephen P. Harter, Online Information Retrieval : Concepts, Principles, and Techniques (New York : Academic Press, 1986), pp.87-95.

註 2:"ERIC," in Searching Dialog : The Complete Guide (Palo Alto, C.A. : Dialog Information Services, 1987), p.1-3.

註 3:Ibid.

註 4:此為筆者實際為資訊需求者所做之檢索，該讀者認為"iong"被資料輸入者以"long"鍵入，因此要求檢視 E2 之收錄內容。

註 5:"ERIC", op. cit.

註 6:"American Business Directory," in Searching Dialog : The Complete Guide (Mountain View, C.A. : Knight-Ridder Information, 1995), p.531-3.

註 7:Donald B. Cleveland, and Ana D. Cleveland, Introduction to Indexing and Abstracting, 2d ed. (Englewood : Libraries Unlimited, 1990), p.61.

註 8:Ibid.

註 9:F. W. Lancaster, Vocabulary Control for Information Retrieval, 2d ed. (Arlington, Va. : Information Resources Press, 1986), p.12.

註10:Ibid.

註11:Christine L. Borgman, Dineh Moghdam, and Patti K. Corbett, Effective Online Searching: a Basic Text (New York : Marcel Dekker, 1984), pp.35-36.

註12:Harter, op. cit., p.76.

註13:Carol Tenopir, "To Err Is Human: Seven Common Searching Mistakes," Library Journal 109 (April 1984), pp.635-636.
Martha Kirby, and Naomi Miller, "Medline Searching on Colleague: Reasons for Failure or Success of Untrained End User," Medical Reference Services Quarterly 5 (Fall 1986), pp.17-34.

Elaine Cox Clever, and David P. Dillard, "What Do CD-ROM Users Really Need?" Information Services and Use 11 (1991), pp.141-153.

註14:Harter, op. cit., p.81.

註15:Dialog Pocket Guide 1992/1993 (Palo Alto, C.A. : Dialog Information Services, 1992), p.12.

註16:Harter, op. cit., pp.90-91.

註17:"ERIC," op. cit.

註18:Ibid.

註19:"Information Science Abstracts," in Searching Dialog : The Complete Guide (Palo Alto, C.A. : Dialog Information Services, 1993), p.202-3.

註20:"LISA," in Searching Dialog : The Complete Guide (Palo Alto, C.A. : Dialog Information Services, 1987), p.61-3.

註21:"Reference Guide to ERIC," in Database Chapters (Palo Alto, C.A. : Dialog Information Services, 1987), p.1-39.

註22:"ERIC," op. cit.

第四章 檢索指令

　　在資訊檢索系統中，任何檢索都必須以系統所能接受的檢索語言進行，但操作檢索系統的語言卻不一定爲指令式語言，它也可能是選項式或是指令選項混合式語言。一般而言，指令式語言較不容易學習，但其強而有力且較具彈性；選項式語言則正好相反，它通常不需要學習，但使用者必須根據螢幕上所提供的選項逐一操作，因此常讓使用者覺得系統功能受到限制且缺乏彈性；而尚未討論之指令選項混合式語言則兼具指令式語言和選項式語言之特色。不過，不管線上檢索是以何種方式操作，它都必須具備一些基本功能，如選擇詞彙或顯示列印等功能，檢索者才有可能完成其檢索工作。再者，同樣的功能在很多指令式語言中是以不同的指令表示，因此，爲擴大討論層面，可以功能分析代替指令分析，所得之研究結果比較可能應用在其他不同的系統中。本章的重點在探討檢索指令所須具備的基本功能，然後再以 Dialog 的指令語言爲例，詳細說明其指令式語言之特色及使用方法。

第一節 檢索語言之功能分析

　　很多探討讀者線上資訊尋求行為的文章都會分析讀者在線上的移動狀態（ transaction states ），以使用者移動狀態的組合來區分不同類型之檢索，這些有關移動狀態的研究和檢索語言所需具備的功能息息相關。在此類型文章中，Meadow （ 1977 ）將 Dialog 系統中五個指令組合成一個單位（或稱為一循環， cycle ），這五個指令分別是：開啓資料庫（ begin ）、選擇詞彙（ expand/select ）、連結（ combine ）、線上顯示（ type ）及離線列印（ print ）。（註 1 ） Fenichel （ 1981 ）也做過類似的研究，她將 Dialog 系統中最基本的三個指令「選擇詞彙－連結－顯示」視為一檢索循環。（註 2 ） Penniman （ 1971 ）則列出 11 種功能，分別是連線作業、選擇資料庫、檢索索引（ search index ）、選擇運算元、線上顯示、離線列印、查看檢索結果、審視已使用過之檢索指令、離線及離開系統等。（註 3 ） Penniman 的分類在 1971 年即提出，其分類與目前大型檢索系統的功能類表有相當的出入，而 Chapman 在 1981 年（註 4 ）及 Tolle 和 Hah （註 5 ）在 1985 年所提出的功能類表則較其接近現狀。大致而言， Chapman 總共提出 9 種移動狀態， Tolle 和 Hah 則提出 13 種狀態，表 4-1 分別列出二位學者所提出的功能類表。從表 4-1 中可以得知， Chapman 所提出的 9 種功能皆包含在 Tolle and Hah 所提出的 13 種功能之中。

表 4-1 ：Chapman 和 Tolle and Hah 檢索指令功能類表之比較

Chapman	Tolle 和 Hah
1. 錯誤	1. 無效功能
2. 中立指令	2. 儲存檢索
3. 開啓資料庫	3. 錯誤
4. 字典式詞彙選取	4. 中立指令
5. 選擇詞彙-陽春式	5. 開啓資料庫
6. 選擇詞彙-利用系統其他功能	6. 字典式詞彙選取
7. 選擇詞彙-利用布林邏輯	7. 直接輸入詞彙
8. 線上顯示	8. 直接輸入詞彙
9. 離線	--利用系統其他功能
	9. 布林檢索
	10.顯示
	11.離線
	12.離線檢索
	13.線外列印

Harter 在其線上檢索之標準教科書中也提及指令之功能分析，他將功能分爲八類（註 6 ），表 4-2 顯示 Harter 所發展出之檢索指令功能類表。若將 Harter 的功能類表與 Chapman 或 Tolle 及 Hah 所設計之功能類表互相比較，可發現 Harter 將字典式詞彙選取、陽春式詞彙輸入（即直接輸入詞彙）及利用系統其他功能之詞彙選擇，同歸類於建立與發展檢索組的大類中，但布林邏輯檢索仍單獨成類。同時，在

Harter 之功能類表中，還多出和求援有關的指令類別及限制檢索（包括語文、年代等各種限制）等類別。

表 4-2 ： Harter 之檢索指令功能類表

1. 連線和離線	**5. 求援指令**
1.1 連線及離線	5.1 指令語法說明
1.2 改變系統預設值	5.2 資料庫特色說明
1.3 改變密碼	5.3 回顧檢索過程
2. 選擇資料庫	5.4 查詢使用時間及費用
2.1 開啟資料庫	**6. 輸出檢索結果**
2.2 改變資料庫	6.1 顯示列印
2.3 獲取有關該資料庫之資訊	6.1.1 選擇顯示格式
3. 建立與發展檢索組	6.1.2 選擇顯示範圍
3.1 選擇詞彙	6.2 排序
3.2 刪除不需要之檢索組	6.3 離線列印
3.3 字典式詞彙選取	6.4 中止顯示
3.4 切截的應用	**7. 限制檢索**
3.5 限制欄位檢索	7.1 語文限制
3.6 範圍檢索	7.2 年代限制
4. 布林邏輯檢索	**8. 儲存檢索**
4.1 使用 AND	8.1 儲存檢索
4.2 使用 OR	8.2 執行檢索
4.3 使用 NOT	8.3 修改儲存之檢索
	8.4 專題選粹服務

資料來源： Stephen P. Harter, Online Information Retrieval: Concepts, Principles, and Techniques (New York: Academic Press, 1986), p.28.

事實上，Harter 之功能類表雖然相當詳盡，但類目的設計及部分功能所屬的類別仍有待商榷。一般而言，布林邏輯運算元及限制檢索之應用都是建立與發展檢索組的方法之一，獲取有關該資料庫之資訊則屬於求援指令的一種，而將排序功能列在輸出類別也顯得有些奇怪。此外，獲取有關該資料庫的資訊與資料庫特色說明之間的界限很難區分，且語文限制和年代限制應該都是屬於建立與發展檢索組的功能，但其在 Harter 的類表中都被分別列出。根據上述缺點，筆者發展出一較為合理的指令功能類表（見表 4-3 ）。在此功能類表中，總共有 7 種功能，其中包含一無效功能，此無效功能是為包容不完整或是錯誤指令而特別設計的。其他的 6 種功能分別為：選擇資料庫、建立與發展檢索組、顯示或列印紀錄、尋求協助、中立指令、及連線與離線等。其中選擇資料庫的功能包括選擇資料庫和改變資料庫二種副功能。而所有選擇詞彙的方式（包括字典式詞彙選取、不同功能之詞彙選擇、及各種欄位檢索等）都被併入建立與發展檢索組中。至於和結果輸出有關的部分，除了最基本的顯示全螢幕資訊及連續顯示的功能外，選擇顯示格式和顯示範圍的指令也非常重要。再者，如果顯示的筆數相當大，檢索者可能會有離線列印的要求；此外，如果使用網路連線檢索 Dialog 資料庫，當傳輸速度過慢時，檢索者可能會有中止列印的需求。大致而言，檢索者必須在上線前了解如何中止系統執行狀態，而且必須事先測試此指令是否真能中止執行狀態，因為終端機及系統上的一些差異，有時手冊上載明的指令並不能完成中止執行狀態的功能。同時，表 4-3 將所有和線上救援有關的指令全部歸入尋求協助的功能中，包括各指令語法的說明及找尋相關的檢索詞彙等。至於不會對檢索結果產生直接影響的功能則隸屬於中立指令，舉例而言，檢索者想改變系統預設值、儲存檢索、執行檢索、修改儲存之檢索、專題選粹服務、排序及除去重複資料等皆屬於中立指令。最後一種功能是連線和離線，其中包括進入系統和離開系統的指令。

表 4-3 ：檢索指令之功能類表

功能 1　選擇資料庫
1.1　選擇資料庫
1.2　改變資料庫
功能 2　建立與發展檢索組
2.1　字典式詞彙選取（直接從索引典中或是檢索組號碼中選取）
2.2　直接鍵入檢索詞彙
2.3　限制欄位檢索（包括各種限制檢索）
2.4　刪除不需要之檢索組
2.5　切截的應用
2.6　布林檢索
2.6.1 AND
2.6.2 OR
2.6.3 NOT
2.7　相近運算元檢索
2.7.1 (w)
2.7.2 (n)
2.7.3 (*l*)

表 4-3 ： 檢索指令之功能類表（續一）

功能 **3** 顯示或列印紀錄

  3.1   全螢幕顯示

  3.2   連續顯示

  3.3   選擇顯示格式

  3.4   選擇顯示資料範圍

  3.5   中止顯示

  3.6   離線列印

功能 **4** 尋求協助

  4.1   找尋相關的檢索詞彙

  4.2   回顧檢索過程

  4.3   資料庫特色說明

  4.4   指令語法說明

  4.5   查詢使用時間及費用

功能 **5** 中立指令（係指不會對檢索結果有直接影響之指令）

  5.1   改變系統預設值

  5.2   儲存檢索

  5.3   執行檢索

  5.4   修改儲存之檢索

  5.5   專題選粹服務

  5.6   依指定欄位進行排序

  5.7   查出重複資料

  5.8   除去重複資料

功能 **6** 連線與離線

  6.1   連線

  6.2   離線

功能 **7** 無效功能

　　大致而言，表 4-3 的功能類表相當詳盡，目前大型線上檢索系統所具備的功能大都包含於其中。若將其功能與光碟資料庫所提供的功能互相比較，可明顯看出光碟資料庫無法提供如此多且詳盡之功能。一般而言，由於指令是根據特定系統所設計，而功能則針對所有系統而研擬，以最常使用的輸入檢索詞彙爲例，在 Dialog 系統中之指令是" select "，BRS 系統中是" search "，ORBIT 系統中則爲" find "，而目前光碟資料庫則經常不須標示任何指令即可直接輸入詞彙（或是和 ORBIT 系統中一樣使用" find "）。因此使用指令分析，研究結果通常只能適用於相同的系統中；但若利用功能分析，研究結果則可以廣泛應用到其他系統中，這也就是本書強調功能分析之主要原因。

第二節　Dialog 檢索指令

　　雖然各線上檢索系統所提供的指令不盡相同，但大致都包含於表 4-3 之功能類表中。由於 Dialog 系統在目前大型線上檢索系統中仍居領導地位，再加上各系統常用不同的指令來執行相同的功能，爲避免類似指令所帶來的視覺和認知上的混淆，特別針對 Dialog 系統之指令語言進行完整且詳細的討論。本節中檢索指令的介紹順序將依照表 4-3 之功能類表，希望讀者在充分了解 Dialog 指令語言之餘，還能舉一反三，將其應用到其他的系統中。如此安排尚有一大好處，讀者可以對一特定系統有非常深入的了解,同時因為系統功能的類似性,只要能真正熟悉一特定之大型線上檢索系統,必能很快地將學習經驗轉移到其他系統中。事實上,同時教導二個系統(如 Dialog 和 BRS)時,學習者常會對類似指令感到困惑,不如全力將一個系統學好,當檢索者有機會應用另外一個系統時,他們通常也能很快進入狀況。

由於 Dialog 檢索語言中,有些指令被使用的比率非常低(如 " keep " 和 " order " 等),甚至有些指令只適用於特殊資料庫中(如 " map " 等),再加上部分有關選擇詞彙的指令已經在前面章節中介紹過(如 expand 、布林邏輯運算元、相近運算元和切截等),因此雖然依照表 4-3 的功能類表順序介紹 Dialog 系統之指令語言,但討論每個指令的比重可能有所不同。為方便讀者了解指令的正確用法,每個指令後面都會附上實例。

功能 1 :選擇資料庫

功能 1.1 :選擇資料庫

在 Dialog 檢索系統中,選擇資料庫使用的指令是 " begin " (本書將其譯為開啓資料庫),即連接到指定資料庫之意。由於 Dialog 提供一次檢索(onesearch)的服務(一次同時檢索多個資料庫之意),因此 " begin " 指令可以同時應用在單一資料庫和多重資料庫的檢索中。一般而言,此指令的輸入格式應爲 " begin 資料庫號碼 ",但資料庫號碼也可以其通俗的名稱代替。值得注意的是,在進行單一資料庫檢索時, " begin " 指令提供較大的彈性,其指令和資料庫號碼之間不管有無空格,系統都能做出正確的識別。但在多重資料庫檢索時, " begin " 指令即無法提供其應有的彈性,在指令和資料庫號碼之間,系統還是可以接受有空格與無空格二種不同的格式,但資料庫號碼和資料庫號碼之間則不能有空格,而且必須以逗號隔開。也就是說,系統只能接受 " b1,202 " 及 " b 1,202 " 二種格式,若是不小心使用其他格式,會造成僅在第一個資料庫中檢索的不幸事實。

在 Dialog 系統中, " begin " 指令可以簡寫爲 " b ", 下面是一些使用 begin 指令的實例。

begin 1	（選擇 1 號資料庫,即 ERIC 資料庫）
begin 1,202	（同時開啓 1 號及 202 號資料庫）
b eric	（開啓 ERIC 資料庫）
b eric,202	（開啓 ERIC 和 202 號資料庫）

功能 1.2 ：改變資料庫

在 Dialog 系統中,檢索者欲更換所檢索之資料庫時,同樣是使用 " begin " 指令,指令之後也是可以做單一資料庫和多重資料庫的選擇。另外,在檢索過程

中，可能會出現一些不需要的檢索組號碼，但檢索組號
碼還是不斷累計，因此當檢索者覺得其中錯誤（或不必
要）的檢索組過多，或是檢索組累積的號碼過大時，很
可能想清除檢索過程中之所有檢索組號碼，讓檢索組號
碼重新從 1 開始累計，這時所需要使用的也是 " begin "
指令。也就是說， " begin " 指令尚有清除前面過程之
所有檢索組號碼的功能。由於改變資料庫的指令和選擇
資料庫一樣，其應用方式也完全一樣，因此不再舉例說
明。

功能 2 ：建立與發展檢索組

功能 2.1 ：字典式詞彙選取

字典式詞彙選取在 Dialog 系統中所應使用的指令
是 " expand "，可以 " e "的縮寫方式代替之。" expand "
指令可在線上顯示含有此字根之所有詞彙或是其線上
索引典。一般而言，檢索者若想檢閱含有此字根的詞
彙，直接輸入 " expand " 指令和字根即可；但若想查
閱線上索引典，則必須在輸入 " expand " 指令後，將
字根（或字詞）置於圓括弧內。由於 " expand " 指令
所產生的結果在第二章和第三章中已詳細介紹，此處不
再重複說明（見圖 2-7 和圖 3-7 ）。下達 " expand " 指
令後，通常依字母順序排列之索引典是以 E 號碼顯示，

而顯示詞彙關係之線上索引典則是以 R 號碼展示。附帶說明，"expand"指令不僅止於詞彙顯示，它還可以應用在其他附加索引上，也就是說，當檢索者不清楚作者或期刊名稱時，也可以利用"expand"指令加上適當的欄位及欄位值進行檢索，然後再選擇合適的 E 號碼即可。

如果"expand"指令無法在一個螢幕上顯示所有資訊時，它會在螢幕最下端顯示"enter p for more"（請按 p 鍵至下一螢幕）。事實上，在 Dialog 系統中，檢索者如果想檢視下一個螢幕，最標準的模式是使用 p 指令，若想檢視上一頁的資訊，則可以下"p-"指令。一般而言，上述二指令並不合乎使用者導向和親和力之設計原則，因為除經過特別訓練或說明外，很少人會想到利用"p"（page）來看下一螢幕，更難想像是以"p-"（page minus）檢視上一螢幕。根據多年觀察讀者經驗所得，最適合用來檢閱下一螢幕的指令應是回格鍵（enter）或下頁鍵（page down），而最適合查閱上一螢幕的指令即為上頁鍵（page up）。

下面介紹一些使用 expand 指令的實例。

expand labor	（顯示和 labor 字母順序類似的詞彙）
e (child)	（顯示 child 一詞之線上索引典）
e au=Chen, D?	（依字母順序顯示姓為 Chen，名為 D 字母起始之作者）

e e4　　　　　　　　(顯示和 e4 詞彙字母順序類似的字)

e jn=library journal　(依字母順序顯示期刊名稱類似 library

journal 之期刊)

功能 2.2：直接鍵入檢索詞彙

　　在 Dialog 系統中，直接鍵入檢索詞彙之指令有
" select steps "（可簡寫爲 ss）和" select "（可簡寫
爲 s）二種型式。當使用" select "指令時，只會產生
一組檢索組號碼，但使用" select steps "指令時，則會
產生中間過程之檢索組號碼，因此當檢索者必須利用到
中間過程之檢索組號碼時，最好使用" select steps "指
令。由於檢索者通常很難確定是否會使用到中間過程產
生之檢索結果，因此除了在可能產生過多檢索組號碼的
情況下，一般都建議使用" select steps "指令。同時，
由於" select steps "指令會顯示中間過程之檢索組號
碼，因此也可藉此檢查是否有詞彙使用不當或是拼字錯
誤所產生的零筆資料，尤其是在使用布林邏輯運算元
" OR "時。圖 4-1 顯示" select "和" select steps "
二指令所產生之檢索結果，二者雖然產生相同的資料筆
數，但其顯示結果的方式卻不盡相同。

　　不管是使用" select "或" select steps "，系統都
會告知檢索者包含此詞彙之資料筆數。一般而言，
" select "或" select steps "指令後可以接單詞、複合

?s (spanish or french or german)/de and computer assisted instruction

	8919	SPANISH/DE
	6613	FRENCH/DE
	2912	GERMAN/DE
	16526	COMFUTER ASSISTED INSTRUCTION (INTERACTIVE INSTRUCTIONAL TECHNIQUE IN WHICH...)
S1	297	(SPANISH OR FRENCH OR GERMAN)/DE AND COMPUTER ASSISTED INSTRUCTION

?ss (spanish or french or german)/de and computer assisted instruction

S1	8919	SPANISH/DE
S2	6613	FRENCH/DE
S3	2912	GERMAN/DE
S4	16526	COMPUTER ASSISTED INSTRUCTION (INTERACTIVE INSTRUCTIONAL TECHNIQUE IN WHICH...)
S5	297	(SPANISH OR FRENCH OR GERMAN) /DE AND COMPUTERASSISTED INSTRUCTION

圖 4-1：“select”與“select steps”指令所產生之檢索結果

資料來源：1995 年 7 月 31 日實際檢索 Dialog 資料庫所得

詞、各種前置及後置欄位檢索、E 號碼或 R 號碼等，也就是說，不管是主題檢索或是其他附加欄位檢索，唯有輸入 “ select ” 或 “ select steps ” 指令後，才會有提供結果的檢索組號碼產生。同時，被選擇的詞彙和詞彙之間，可以布林邏輯運算元或相近運算元結合。值得注意的是， “ select ” 和 “ select steps ” 指令的極限是 240 個字元，相當於電腦螢幕之三整行。不過，在使用 Dialog 系統時，當檢索者輸入 70 幾個字元後，系統即會發出

"嗶-嗶-嗶"之警告聲,沒有經驗的檢索者往往會因此而修改檢索敘述或匆匆換行。上述情形也是 Dialog 系統親和力不夠的另一現象,如果系統能夠接受三行的容量,何必在未使用完一行時即以聲響警告讀者呢?

下面介紹"select"和"select steps"指令之應用實例,此處二個指令可以交換使用,只是"select"只產生最後結果之檢索組號碼,而"select steps"則連同產生中間過程之檢索組號碼。在以下諸例中,都是以"select steps"之指令為例,但其都可以應用於"select"指令上。

ss child	(基本索引檔中含有"child"一詞之資料筆數)
ss au=white, m?	(姓 White 名為 M 開頭之作者所撰之資料筆數)
ss children/ti, de	(尋找在題名和敘述語中含有"children"一詞之資料筆數)
ss s3 and art	(檢索組號碼 3 和基本索引檔中含有"art"一詞之資料交集)
ss s8/1995	(檢索組號碼 8 中 1995 年出版之資料筆數)
ss library (w) automation	(基本索引檔中 library 與 automation 兩個字依序並緊連出現之資料筆數)
ss E1:E3 or E8	(選擇 E1 到 E3 及 E8 的資料)
ss information retrieval	(尋找敘述語為 information retrieval 之資料筆數)

功能 2.3：限制欄位檢索

Dialog 系統中所有之欄位檢索都是以"select"或

" select steps "之方式完成，不管是主題欄位檢索或非主題欄位檢索。一般而言，主題欄位檢索是以「詞彙/欄位」的方式進行，而非主題欄位檢索則是以「欄位=檢索值」的方式進行。所謂主題欄位檢索是指檢索含有主題資訊的欄位，這些欄位通常包括題名、摘要、敘述語和識別語等；其他較不具主題資訊的欄位檢索通稱為非主題欄位檢索，其中包括作者、期刊名稱、年代及語文等欄位。和功能 2.2 採取同樣的舉例方法，雖然以 " select steps " 為例，但其檢索方式完全適用於 " select " 指令上。

ss	China/de	(尋找敘述語中包含"China"的資料，屬於主題欄位檢索)
ss	Japan/ti	(尋找題名中含有"Japan"一詞的資料，屬於主題欄位檢索)
ss	libraries/ti, ab	(尋找題名或摘要中含有"libraries"一詞之資料，屬於主題欄位檢索)
ss	jn=library journal	(尋找期刊名稱為"library journal"之資料，屬於非主題欄位檢索)
ss	py=1995	(尋找出版年是 1995 年之資料，屬於非主題欄位檢索)
ss	la=english	(尋找出版語言為英文之文章，屬於非主題欄位檢索)

功能 2.4：刪除不必要之檢索組

Dialog 系統中並不具備此功能，因此檢索者無法刪除無效或不需要之檢索指令。 Dialog 系統雖然無法選

擇性刪除不必要之檢索組號碼，但卻可以再下一次
"begin"指令讓檢索組號碼歸零，重新再從檢索組號
碼 1 開始計算。此外， Dialog 系統中雖然有編輯
（edit）的功能，但它卻只能對儲存之檢索進行編輯，
無法修改正在進行之檢索。

功能 2.5 ：切截的應用

　　切截的主要功能是在檢索所有字根相同的字，由於
在輔助檢索法中已作過詳細介紹，因此僅以幾個簡單的
例子再次說明這個功能。

ss　comput?	(檢索所有字根為 comput 的字，屬右切截)
ss　m?n	(可檢索出 man 和 men，屬中間切截)
ss　?computer	(表示字根 computer 前可以任意變化，屬於左切截)

功能 2.6 ：布林檢索

　　布林檢索是利用布林邏輯運算元（通常包括
"AND"、"OR"、"NOT"三種運算元）操作詞
彙或欄位間存在關係的一種檢索方式。因其也在輔助檢
索法中作過非常詳細的介紹，所以僅使用三個簡單的例
子再度說明此功能。

ss　library automation and circulation	(檢索出同時包含 library automation 和 circulation 二詞之資料)
ss　child? or kid? or student?	(檢索出含有 child 、

		kid 、或 student 任何一字根之資料)
ss	foreign languages not French	(檢索出探討 foreign languages 但無 French 一字之資料)

功能 2.7：相近運算元檢索

　　相近運算元是為控制字詞出現的先後順序及距離而設計出之檢索運算元，由於其在輔助檢索法中已作過完整介紹，因此僅以最常見之相近運算元 " w "、" n "、及 " ℓ " 舉例說明此一功能。

ss	library (w) automation	(表示 library 必須出現在 automation 之前，而且二字必須緊連出現)
ss	watergate (2n) scandal	(表示不限制 watergate 和 scandal 二字出現之先後次序，但 watergate 和 scandal 二字間最多只能插入二個字)
ss	cancer (ℓ) prevention	(表示 cancer 和 prevention 必須出現在同一敘述語中)

功能 3：顯示或列印紀錄

功能 3.1：全螢幕顯示

　　在 Dialog 系統中，顯示一完整螢幕資訊之指令為 " display "，可以簡寫為 " d "。也就是說，當獲得檢索結果後，檢索者欲在線上瀏覽或閱讀一完整螢幕之資訊時，可下達 " display " 指令，如想繼續瀏覽更多資訊，可利用 " page " 指令顯示下一螢幕之資訊，或

是再輸入"display"指令顯示下一筆紀錄。一般而言，
顯示指令之標準格式為" display 檢索組號碼/顯示格
式/顯示範圍"，其在 Dialog 系統中屬於相當複雜的指
令，檢索者必須具備相當的資訊處理容量才能成功地操
作顯示指令。在使用顯示指令時，檢索者必須知道欲顯
示一螢幕之資訊應該使用指令" display "，同時還得
知道所欲顯示資訊所在之檢索組號碼、預期之顯示格式
及範圍、陳列上述資訊之順序和使用斜撇隔開各資料單
元的語法。由於顯示指令複雜的設計，對初學者往往是
過重的認知負擔，因此檢索新手經常需要一段學習時間
才能操作自如。即使是有相當經驗的檢索者，在隔一段
時間未使用 Dialog 系統後，也很容易遺忘正確使用顯示
指令的細節。上述現象充分顯示出 Dialog 系統應設法簡
化顯示指令，才能迎頭趕上讀者導向之系統設計潮流。

　　如前段所言，完整之顯示指令的格式為" d 檢索組
號碼/顯示格式/顯示範圍"，或許正由於此指令之複雜
性，當檢索者輸入的顯示指令不完整時，系統會自動設
定條件填充。因此，檢索者只要記得顯示的指令為
" display "，他依舊可以使用毫無彈性的顯示方式瀏
覽資料。也就是說，當檢索者僅輸入" d "一字時，系
統會自動假設檢索者所欲顯示的是最後一個檢索組號
碼，他所要使用的顯示格式是格式 2（系統預設之各種
列印格式，請參見 3.3 選擇列印格式），而他所要顯示

的資料則為第一筆資料。換句話說，當系統可以判斷缺項為檢索組號碼時，其預設值為最後一個檢索組號碼；當缺項為顯示格式時，其預設值為格式 2 ；當缺項為顯示範圍時，其預設值為第一筆資料。事實上，筆者就曾經看過完全以"d"鍵顯示資料之檢索者，這種顯示方式雖然缺乏彈性，但對認知負擔過大的檢索者，不失為一種權宜之線上顯示方式。

除顯示格式外， Dialog 系統中顯示指令之預設值通常相當合理。事實上，該系統所預設的格式 2 是不含摘要的完整紀錄，做此決策的原因應是基於時間和經濟上的考量，但很多研究指出讀者相當需要摘要來輔助相關判斷（註 7 ），例如筆者在美國做研究時，就有數個讀者因為未顯示列印摘要而必須再次檢索。（註 8 ）正因為摘要在相關判斷的重要性，因此預設的顯示格式為 2 頗值得商榷，系統應可考慮以包含摘要的完整紀錄作為預設值。最後以一些實例說明顯示指令之使用方式。

d　　　　　　　　(最簡單的顯示資料方式，完全使用系統預設值，即以格式 2 顯示最後一組檢索組號碼中之第一筆資料)

d s5　　　　　　(以格式 2 顯示檢索組號碼 5 中之第 1 筆資料)

d s8/3　　　　　(以格式 3 顯示檢索組號碼 8 中之第 1 筆資料)

d s9/5/1-10　　(以格式 5 顯示檢索組號碼 9 中之第 1 筆至第 10 筆資料)

d s3/6/1,3,5-10　(以格式 6 顯示檢索組號碼 3 中之第 1 筆、第 3
　　　　　　　　　筆、及第 5 至 10 筆資料)

d s6/9/all　　　　(以格式 9 顯示檢索組號碼 6 中之所有資料)

功能 3.2 ：連續顯示

　　在 Dialog 系統中，執行連續顯示的指令為
" type "，可簡寫為 " t "。所謂連續顯示，就是不管
檢索者瀏覽閱讀的速度，將檢索所得結果在螢幕上連續
呈現。當系統之顯示速度相當快時，讀者經常無法掌握
閃過眼前的資訊。一般而言，連續顯示的指令格式和全
螢幕顯示完全一樣，都是先輸入指令名稱，再給予檢索
組號碼、顯示格式、及顯示範圍，也就是一般所熟悉的
" type 檢索組號碼/顯示格式/顯示範圍 " 之格式。因
此，全螢幕顯示指令所遭遇的問題在連續顯示指令上也
會同樣發生。

　　和全螢幕顯示指令一樣，當檢索者只輸入 " t " 鍵
時，系統也會自動以格式 2 顯示最後檢索組號碼中之第
一筆資料，如果檢索者想繼續看下一筆資料，他可以再
次輸入 " t " 鍵。由於顯示指令的最小單位是一筆資
料，因此沒有用到 " page " 指令檢視下頁的機會。正
因為連續顯示指令和全螢幕顯示指令大致相似，因此很
多地方不再贅述，僅以一些實例由簡至繁說明此指令的
正確使用方式。

t	(最簡單的連續顯示方式，以格式 2 顯示最後一檢索組號碼中之第 1 筆資料)
t s8	(以格式 2 顯示檢索組號碼 8 中之第 1 筆資料)
t s3/5	(以格式 5 顯示檢索組號碼 3 之中第 1 筆資料)
t s6/8/1-15	(以格式 8 顯示檢索組號碼 6 中之第 1 筆至第 15 筆資料)
t s4/6/1-3,9,10	(以格式 6 顯示檢索組號碼 4 中之第 1 筆至第 3 筆及第 9、10 筆資料)
t s22/3/all	(以格式 3 顯示檢索組號碼 22 中之所有資料)

功能 3.3：選擇顯示格式

　　Dialog 系統中所提供的選擇顯示格式的功能相當強，它不但有很多預設的顯示格式可供選擇，檢索者也可以根據喜好自行設計顯示格式，更可將預設之顯示格式與自行設計之顯示格式合併使用，比起大部分光碟系統僅能就少數顯示格式做選擇的情況高明甚多。前文介紹顯示指令所提及之格式 2，即為 Dialog 系統預設之 9 種顯示格式之其中一種。一般而言，Dialog 系統所提供之 9 種系統預設的顯示格式如表 4-4 所示：

　　除了系統預設之顯示格式外，Dialog 系統尚提供多種讀者自行設計的選擇，因此當檢索者對系統預設格式不滿意時，也能根據自己喜好設定顯示格式。一般而言，檢索者可自行決定顯示的欄位及其順序，只要將所欲顯示的欄位簡稱依需要排列，並以逗號區隔即可。同時讀者也可以自行設定 u 號碼的方式決定顯示之格式，如果利用此方法，就必須先執行 " set " 指令，然後再

表 4-4 ： Dialog 系統預設之顯示格式

格式	列印內容
1	Dialog 系統之資料流水號
2	除去摘要之完整紀錄
3	書目紀錄
4	欄號（ tag ）在前的完整紀錄
5	完整紀錄
6	題名
7	書目紀錄和摘要
8	題名和索引詞彙
9	完整紀錄，在全文資料庫中包含全文

資料來源：“ERIC”, in Searching Dialog: The Complete Guide
(Palo Alto, C. A.: Dialog Information Services,
1987), p.1-4.

列舉所需欄位並以逗號隔開。另外， Dialog 系統允許檢索者在系統預設之顯示格式或讀者自行設計之 u 號碼後加上所需欄位，合併組成新的顯示格式。現以實例說明如何利用各種不同的方法在 Dialog 系統中選擇自己滿意的顯示格式。

1.直接利用系統預設值

　　d s8/3/all　　　　　(以格式 3 顯示資料)

　　d s3/6/1-10　　　　(以格式 6 顯示資料)

2.自行組合欄位

t s3/au,ti,de/1-5   (顯示的欄位及順序為作者、題名、及敘述
                       語)

t s5/ti,de,so/all   (顯示的欄位及順序為題名、敘述語、及資
                       料來源)

3.設定 u 號碼

set u1=au,ti,de,py,ab (設定格式 u1 之欄位及其順序為作者、題
                       名、敘述語、年代、及摘要)

d   s12/u1/1,3,5   (以上述 u1 格式顯示資料)

4.利用系統預設格式及 u 號碼與其他欄位結合

d s10/3,ab,de/1-5,10 (以格式 3 加上摘要與敘述語的方式顯示資
                       料)

t s18/u1,tx/1-15   (以格式 u1 外加全文的方式顯示資料)

　　Dialog 系統中尚提供一較為特殊的顯示欄位「文內
關鍵字」（KWIC：Key Word In Context），一般通稱
為 KWIC 格式，可簡寫為 k。在 Dialog 系統中，KWIC
的視窗大小是 30 個字，但檢索者可使用 " set " 指令來
改變視窗大小，但其大小必須在 2 到 50 個字之間。事
實上，KWIC 是一相當好用的檢索欄位，它和目前很多
光碟產品一樣，提供以檢索詞彙為中心的文字段落，是
檢索者在線上進行相關判斷時最好的輔助工具。KWIC
欄位可以單獨存在，也可以與其他欄位合併使用，下面
是一些利用 KWIC 欄位之檢索實例。

　　set kwic 35   (設定視窗大小為 35 個字)

d s3/k/1-10   (以 KWIC 格式顯示資料)

t s8/ti,k/all   (以題名和 KWIC 合併之格式顯示資料)

功能 3.4：選擇顯示資料範圍

在顯示範圍上，檢索者可以有相當大的選擇彈性，可以「第幾筆至第幾筆」的方式選擇，也可以選擇特定幾筆資料，再以逗號相連，更可以用 " all " 來代表所有資料。但很多讀者在使用「第幾筆至第幾筆」的方式時，往往忘記該檢索組號碼到底包含幾筆資料。若為避免重複顯示前面已顯示過之資料（使用 " all " 雖然不須記憶資料筆數，但其顯示範圍為第一筆至最後一筆），檢索者可以用一個絕對大於所含資料筆數的數字來代替實際資料筆數，這雖然是一個取巧的方法，但可以成功地解決不知資料筆數的困境。現以檢索實例說明 Dialog 系統在選擇顯示資料範圍所提供的選擇。

d 29/3/1-50   (顯示第 1 筆至第 50 筆資料)

t s11/5/1,3,5   (顯示第 1 、第 3 、及第 5 筆資料)

d s22/3,k/all   (顯示所有資料)

t s18/au,ti/2-5,10   (顯示第 2 至 5 筆及第 10 筆資料)

功能 3.5：中止顯示

中止線上顯示事實上是一相當重要的功能，尤其是在使用數據機傳輸資料時。假設檢索者欲顯示的檢索組號碼中有 100 筆資料，當他顯示到第 10 筆資料時，覺得沒有必要繼續顯示，這時就必須使用中止顯示的功能。一般而言， Dialog 之檢索指引會告訴讀者可使用" break "鍵中止顯示，但由於終端機設定內碼上的差異，因此檢索指引上通常會請檢索者嘗試其他可能中止顯示的鍵，且強調檢索者務必確定中止顯示的鍵後方可上機。（註 9 ）事實上，檢索者往往未意識到此功能的重要性，在線上隨意顯示一大堆資料後想臨時中止卻不知所措（尤其是習慣性選擇顯示範圍爲" all "時），最後只好強制關機。如果檢索者是使用數據機連線，即使他已經關閉電腦， Dialog 系統仍會繼續收費 15 分鐘。雖說強制關機在使用網路連線時可中止連線，但如果使用者還想繼續檢索時就必須重新連線，同樣會造成時間及金錢上的浪費。因此，當使用者不知如何中止顯示時，在選擇顯示範圍上要特別小心，可將檢索所得結果分區顯示，至少在顯示告一段落時可以選擇繼續顯示或是輸入其他指令。

功能 3.6 ：離線列印

當使用者不想在線上逐筆瀏覽檢索所得結果，可使用" print "指令告訴 Dialog 系統，將檢索結果郵寄到府或是以電子型式傳輸。但不管是使用郵寄或電子傳遞，檢索者都必須事先告知地址。告知地址的方式本書

不擬介紹，有興趣的讀者請自行參閱 Dialog 檢索手冊或
檢索指引。在 Dialog 系統中，" print "指令簡寫爲 " pr "
（不是 " p "，因 " p " 爲 " page " 的簡寫），其格式
與顯示指令完全一樣，也是遵循 "指令 檢索組號碼/列
印格式/列印範圍" 的格式。一般而言，檢索者未能以完
整格式輸入離線列印之指令時，Dialog 系統會以格式 2
列印最後一檢索組號碼中之前 50 筆資料。此外，如果
檢索者想取消列印，必須在下達離線列印指令 2 小時內
向系統提出請求，以 " print cancel " 的指令取消列印，
此指令可縮寫爲 " pr cancel "、" print-"或 " pr-"等
不同方式。在取消離線列印的指令後通常會指定檔案名
稱，若未指定檔案名稱，系統會取消最近一次之離線列
印。現以一些簡單例子說明離線列印之格式及其取消方
法。

print s8/5/all	(以格式 5 離線列印檢索組號碼 8 之所有資料)
pr s9/3/1-15	(以格式 3 離線列印檢索組號碼 9 之第 1 筆至第 15 筆資料)
print cancel	(取消最近一次離線列印)
pr cancel p002	(取消 p002 檔案之列印)
print-p005	(取消 p005 檔案之列印)
pr-p145	(取消 p145 檔案之列印)

功能 4 ：尋求協助

功能 4.1 ：找尋相關之檢索詞彙

在 Dialog 系統中，如欲在線上找尋相關之檢索詞彙，不管是字母順序類似的詞彙或是真正的線上索引典，所使用的指令都與字典式詞彙選取相同，即使用" expand "指令（簡寫為" e "）。由於其功能與使用方法已在功能 2.1 中作過詳盡介紹，因此不再贅述。

功能 4.2 ：回顧檢索過程

回顧檢索過程係指顯示資料庫開啟後所建立之所有檢索組號碼的內容與結果。事實上，檢索者在線上常會有回顧檢索過程的需要，比如其忘記某詞彙所隸屬之檢索組號碼，雖說在此情況下可重新將詞彙輸入，但若能直接輸入檢索組號碼，不但可以節省重新鍵入詞彙所需的時間，並可減少產生打字錯誤的機會。另一方面，有時檢索者回顧檢索過程，主要目的是希望對檢索策略進行通盤的檢討，而非得知某詞彙之檢索組號碼，在此種情況下，更凸顯回顧檢索過程功能之重要性。。在目前光碟資料庫檢索中，大部分系統都將檢索詞彙和所得結果持續顯示在螢幕上，也就是隨時提供回顧檢索過程的功能。這種設計也有商榷的必要，因為並不是每個檢索者都希望系統如此利用其螢幕，也許他最迫切需要在

螢幕上顯示的資訊為某些資料庫之收錄內容或是系統
所預設的顯示列印格式等。另外，有些讀者在連續顯示
前會執行回顧過程檢索，其目的通常為得知所欲顯示之
檢索組號碼所包含之資料筆數，因為他不想使用"all"
來限定資料範圍，或是他不想重複列印已經瀏覽過的資
料。

　　Dialog 系統中執行回顧檢索過程的指令是
"display set"，可以簡寫為"ds"，它會顯示最後一
個"begin"指令後之所有檢索組號碼及其內容。當檢
索組號碼超過一個螢幕所能容納的範圍後，可用檢索組
號碼來限制回顧檢索過程的範圍。現以實例說明回顧檢
索過程指令之使用方法。

display set	(回顧檢索過程)
ds	(回顧檢索過程)
ds 10-20	(顯示第 10 至第 20 個檢索組號碼之內容)

功能 4.3：資料庫特色說明

　　資料庫特色說明在 Dialog 系統中是以"help file
n"（n 為資料庫號碼）的格式表示，當檢索者下達此
指令時，系統會將所指定資料庫之簡介顯示於螢幕上。
在線上執行"help file n"指令時，可以問號（？）來代
替"help"指令，也就是說，系統被允許以"? file n"

的方式來查詢資料庫特色。事實上，由於 Dialog 系統之收費相當昂貴，因此大部分讀者除非萬不得已，不會在線上瀏覽資料庫特色，但不管如何，此功能仍為線上系統必須具備的重要功能之一。現舉實例說明 Dialog 系統介紹資料庫特色指令之操作方法。

help file 15　　　（簡介 15 號資料庫之內容及特色）

? file 35　　　　（簡介 35 號資料庫之內容及特色）

功能 4.4：指令語法說明

當檢索者在線上檢索時，若對任何指令語法感到困惑，可以隨時下「 HELP 」指令救急，比如說使用者忘記該如何顯示資料，可在線上輸入「 help display 」，系統即會告知「 display 」指令之語法與格式。倘若讀者想在線上逐一閱讀所有救援指令，可以輸入「 help help 」指令。另外，由於每個資料庫所提供之檢索欄位、列印格式及限制都不盡相同，檢索者若有疑問，也可輸入「 help 」指令求援。現將 Dialog 系統中常見的與指令語法有關的援助作一說明（第一個 help 皆可用問號取代）。

help help　　　　（逐一顯示所有救援指令）

help print　　　　（說明離線列印的語法與格式）

help field 5　　　（說明 5 號資料庫中可供檢索之欄位）

help fmt 11　　　(說明 11 號資料庫可使用之列印格式)

help limit 121　　(說明 121 號資料庫可使用之限制)

功能 4.5 ：查詢使用時間及費用

　　如果檢索者想得知資料庫收費的方式，可以離線查詢 Dialog 系統之價格表（ Dialog Price List ）（ 註 10 ），也可以在線上以 " help " 指令查詢，其查詢的指令為 " help rate n " （ n 為資料庫號碼 ）。如果檢索者想知道目前檢索已花費之時間及費用，可直接在線上下達 " cost " 指令，系統即會顯示當次檢索所使用過之資料庫時間及其預估之費用。此二指令之使用方法如下：

help rate 55 (說明 55 號資料庫之收費標準)

cost　　　　(顯示本次檢索所使用之資料庫名稱、時間及費用)

功能 5 ：中立指令

功能 5.1 ：改變系統預設值

　　當使用者想改變系統預設值時，在 Dialog 系統中通常採用 " set " 指令，例如在前文曾經提到的改變文內關鍵字之視窗大小及自行設計顯示列印格式（ 以 u 號碼表示之 ）等。事實上， Dialog 系統中可以 " set " 指令改變預設值的地方多達十餘處，現僅以二個簡單實例說明利用 " set " 指令改變系統預設值的方法。

```
set k 15            (設定文內關鍵字之視窗大小為 15 個字)
set u1=au,ti,de,py  (設定格式 u1 之欄位及順序為作者、題名、
                     敘述語及出版年)
```

功能 5.2 ：儲存檢索

　　如果讀者覺得該次檢索還有可能再次利用，他可以將檢索以 " save " 指令或 " save temp " 指令儲存起來備用。一般而言， " save "指令意謂永遠儲存該次檢索，而 " save temp " 則是將檢索策略暫時儲存 7 天，但不管是使用指令 " save " 或 " save temp " ，都只能儲存最後一次 begin 指令以後的所有檢索策略，無法向前回溯。同時，在使用此二指令時，如果使用者對儲存檔案未加命名，系統將會自動命名，而使用者若想自己命名時，只要注意檔案名稱必須在 6 個字元以內即可。另外，Dialog 系統尚具備一種較為特殊的欄位儲存功能 " map " ，此指令之威力相當驚人，但並非每個資料庫都提供此種功能。舉例而言， Dialog Chemsearch 資料庫中即提供 " map " 指令，可將 CAS 註冊號（ CAS Register Number ）或其同義詞加以儲存，然後在其他類似資料庫做相同之 CAS 註冊號及同義詞之檢索，完全不需要將註冊號及同義詞重新輸入一遍。（註 11 ）

　　Dialog 系統在儲存檢索的功能上，其設想相當周到，假設讀者忘記儲存檢索策略之檔案名稱，可用

　　"recall save" 指令查詢所有永久儲存之檔案名稱,以
"recall temp" 查詢所有暫時儲存之檔案名稱。如果
"recall" 指令後面直接接檔案名稱,系統則會顯示所
有儲存於該檔案之指令,因此在儲存檢索方面,檢索者
應該不會碰到太大困難。另外,如果讀者不想繼續儲存
該份檢索策略,只要下 "release" 指令即可。爲將上述
所有概念更清楚呈現,謹以一些實例說明 Dialog 系統在
儲存檢索功能中所提供的指令。

save	(將檢索策略永久儲存於系統中)
save temp	(將檢索策略暫時儲存於系統中)
save huang1	(將檢索策略永久儲存於 huang1 檔案中)
save temp chen1	(將檢索策略暫時儲存於 chen1 檔案中)
map rn	(將 CAS 註冊號欄位內之內容永久儲存於系統中)
map sy temp	(將同義詞欄位之內容暫時儲存於系統中)
release huang1	(不再儲存檔案 huang1)
recall save	(列舉所有永久儲存之檔案)
recall temp	(列舉所有暫時儲存之檔案)
recall chen1	(顯示 chen1 檔案中之檢索策略)

功能 5.3 執行檢索

　　在 Dialog 系統中,不管是以 "save"、"save temp"
或 "map" 所儲存之檢索策略或欄位內容,都必須透過
"execute steps" 或 "execute" 二指令執行。一般而

言，當檢索者選用 "execute steps" 指令時，系統會顯示每一個指令所產生的檢索組號碼及檢索結果；但當檢索者選用 "execute" 指令時，系統只會顯示整個檢索之最後結果。因此當檢索者有意修改檢索內容時，務必使用 "execute steps" 指令。在簡稱上，"execute steps" 指令可簡寫為 "exs"，而 "execute" 則簡寫為 "ex"。通常在使用 "execute steps" 或 "execute" 指令時，其後最好能指定執行檔案，否則系統將會執行此帳號內最後一個被儲存的檔案。同時，檢索者若僅想執行部分檢索，可以在檔案名稱後加上所欲執行的行數即可。為將指令更清楚說明，謹以一些實例解釋 Dialog 系統所提供之執行檢索的指令。

execute steps	(逐行執行並顯示此帳號內最後一個被儲存之檢索)
execute	(執行此帳號內最後被儲存之檢索，但僅顯示其最後檢索結果)
exs TA001	(逐行執行並顯示 TA001 檔案)
ex educal	(執行 educal 檔案，但僅顯示其最後檢索結果)
exs TA001/1-10	(逐行執行並顯示 TA001 檔案之第 1 至第 10 行)

功能 5.4：修改儲存之檢索

在 Dialog 系統中，如欲修改被儲存檢索之內容，必須使用 "edit" 指令並在其後指定檔案名稱，其修改方式是採用一般 UNIX 系統所使用之 "insert"、 "delete"、"change"、和"copy"等指令。由於篇幅所限，本書對此指令群之使用方法不予贅述，檢索者若有實際需要，可參考 UNIX 系統手冊，或是 Dialog 系統之檢索手冊。（註 12 ）

功能 5.5：專題選粹服務

　　事實上， Dialog 系統並未設計提供專題選粹服務的指令，但熟悉系統的使用者可以利用其他檢索技巧來達成專題選粹服務的目的。一般而言，提供專題選粹服務的先決條件是系統具備儲存檢索和執行檢索的功能，因此，檢索者可以在年代上下功夫來完成專題選粹服務的功能。如果檢索者是一年檢索一次，可利用"py"（ publication year ）欄位限制作品之出版年代，但更好的方式則是利用更新（ update ）欄位。通常"update"欄位可簡稱爲"ud"，其條件值爲 4 個阿拉伯數字所構成，前二個數字是月份，後二個數字則爲年代，因此檢索者可以鍵入更新資料範圍的方式，達成專題選粹服務的目的，例如"ud=1295"是表示限制檢索結果爲 1995 年 12 月更新之作品。如果檢索者非常重視文章的新穎性，每次資料庫更新時都會要求專題選粹服務，即可利用"ud=9999"之指令，此指令將限制檢索結果在系統最後一次更新之紀錄內，自然能完成專題選粹服務之功能。

功能 5.6 ：依指定欄位進行排序

　　理想的線上檢索系統應該有排序輸出的功能，也就是說，最好將最相關的文章排列在輸出的最前端，因此讀者可依自己的時間精力決定閱讀多少篇文章。由於依相關程度排序輸出有其實際上的困難，因此大部分的線上檢索系統都僅依年代先後排序輸出，其背後的假設是一般檢索者較傾向利用新穎性較高的文章。也就是說，檢索者未告知系統其所希望的排序方式，系統即以年代先後進行排序輸出。但在實際檢索中，檢索者有時會希望不同的排序輸出方式，例如在找資料時，希望相關文獻能照期刊名稱排列，以免在期刊架中來回穿梭，或是希望相關文獻能依作者姓名之字母順序排序，那檢索所得檔案即可直接轉換爲書目檔案。一般而言，每個資料庫中所能提供排序的欄位不盡相同，檢索者在使用排序指令前，必須先參考藍頁。

　　在 Dialog 系統中，執行排序是使用 " sort "指令（此指令沒有簡稱），其指令格式爲 " sort 檢索組號碼/排序資料範圍/排序依據欄位"。同時，檢索者若未指定排序方式，系統會預設爲「遞增」（ ascending ）排列方式，如果想使用「遞減」（ descending ）的排列方式，必須在指令最後以 " d "字標明。下面謹以簡單實例說明 " sort " 指令之正確用法。

sort　　s3/all/jn,au 　　(將檢索組號碼 3 中之所有文獻依期刊名稱
　　　　　　　　　　　　　排列，刊名一樣則依作者姓名排序)

sort　　s3/15-30/au,d (將檢索組號碼 3 中之第 15 至第 30 篇文獻
　　　　　　　　　　　　依作者姓名排列，排列方式採用「遞減式」
　　　　　　　　　　　　排列)

功能 5.7：查出重複資料

　　當檢索者一次檢索二個或二個以上的資料庫時，由於被開啓資料庫間的同質性，難免會檢索到相同的資料，因此當檢索者想知道重複資料的數目時，可使用查出重複資料的指令，此指令在 Dialog 系統中爲 " identify duplicates " ，一般將其簡稱爲 " id " 。通常在使用查出重複資料之指令時，指令之後必須指定檢索組號碼，系統即將該檢索組號碼中之所有紀錄依題名的字母順序排列，因此相同的紀錄會被歸在一處。一般而言，在使用 " identify duplicates " 指令時，系統會產生新檢索組號碼，但此新檢索組號碼中所包含的資料筆數和原先檢索組號碼中之資料筆數完全一樣，因爲系統只是將相同題名的文獻排列在一起，並沒有真正刪除的動作產生。但由於重複資料都被排列在一處，因此在辨識重複資料上十分方便。

　　在查出重複資料方面， Dialog 系統除提供 " identify duplicates " 指令外，尚提供 " identify duplicates only " 的指令，簡寫爲 " ido " 。在使用

"identify duplicates only"時，指令後面也必須指定檢索組號碼。一般而言，"identify duplicates only"會產生一包含所有重複資料之新檢索組號碼。一般而言，學術界常以作品被索摘機構收錄之多寡來估計其品質，在此假設下，這些重複出現在不同資料庫中的文獻，便可能是較具價值之參考文獻。。現以實例說明上述二指令在 Dialog 系統中之正確使用方法。

identify duplicates s8　　　　（將檢索組號碼 8 中之重複資料排在一起）

id s8　　　　　　　　　　　（將檢索組號碼 8 中之重複資料排在一起）

identify duplicates only s12　（找出檢索組號碼 12 中之所有重複資料）

ido s12　　　　　　　　　　（找出檢索組號碼 12 中之所有重複資料）

功能 5.8：除去重複資料

上述查出重複資料之指令並不會刪除重複資料，如欲真正刪除其中重複資料，必須使用"remove duplicates"指令，此指令一般簡稱為"rd"。由於查出重複資料並不做刪除工作，因此很多檢索者會略過"identify duplicates"的步驟，直接以"remove duplicates"除去不同資料庫中的重複資料。現以實例說明除去重複資料在 Dialog 系統中之正確使用方法。

remove duplicates s15 　　　(除去檢索組號碼 15 中之重複資料)

rd s15 　　　(除去檢索組號碼 15 中之重複資料)

功能 5.9：其他中立功能

　　Dialog 系統中尚有一些對檢索結果沒有影響之中立指令尚未介紹，如 " report " 和 " pause " 指令等。在此僅以 " pause " 指令為例，作一簡短的說明。" pause " 指令可讓檢索者在線上停頓 10 分鐘，但這 10 分鐘照常收費，不過是以訓練用資料庫之低價收費。此指令沒有簡稱，用法非常簡單，如下所示：

pause 　　　(要求線上停頓 10 分鐘)

功能 6：連線和離線

功能 6.1：連線

　　連線至 Dialog 系統可透過網路或數據機，由於網路的連線費用多轉嫁至其他單位，因此使用網路連線國際系統，在價錢上會較使用數據機便宜甚多。但近年來網路使用者眾，網路上塞車情形十分嚴重，因此若在上班時間大量使用 Dialog 系統，可能還不如申請專線較為省時省錢。一般而言，如果使用網路連線，Dialog 系統之 " domain address " 為 " dialog.com "，其 " ip address "

爲 " 192.132.3.254 "。如果成功連上 Dialog 系統，Dialog 會要求輸入檢索者之帳號和密碼，確定帳號和密碼無誤後，系統會顯示歡迎使用 Dialog 的字樣。圖 4-2 即連線至 Dialog 系統所需執行的步驟及系統回應之畫面。

```
telnet    192.132.3.254          (檢索者告知所欲連線之地址)
Trying    3106......open
DIALOG INFORMATION SERVICES
PLEASE LOGON
?SSSSSSSS                        (檢索者輸入帳號)
  ********
ENTER PASSWORD ：
?SSSSSSSS                        (檢索者輸入密碼)
  ********
Welcome to DIALOG
```

圖 4-2：連線至 Dialog 系統之步驟及其系統回應

功能 6.2：離線

當檢索完畢想離開檢索系統時，使用者可輸入離線指令要求離開系統。在 Dialog 系統中，離線指令是 " logoff "，此指令沒有縮寫形式。一般而言，當輸入 " logoff " 後，系統會顯示檢索者此次檢索的花費並宣告離線。事實上，在不同的檢索系統中，離線指令常不一致，因此檢索者常因不同的離線指令（如 logoff 、logout 等）而混淆。有鑑於此，Dialog 系統在離線指令上提供相當大的彈性，除了正統指令 " logoff " 外，很多含有離開系統意義的字都可以完成離線功能，例如 " bye "、" logout "、" log "、" off "、" quit "、" stop " 和 " disc " 等。在指令設計上， Dialog 系統很少提供如此大之彈性，比如說繼續顯示下頁資訊，除 " page " 指令外，最好能同時提供以 " page down " 鍵或是 " enter " 鍵等親和力較強的功能鍵達成顯示下頁的功能，但 Dialog 系統卻沒有對應提供。事實上，一設計良好的資訊系統，其親和力和使用彈性應普遍於整個系統，不應僅限於少數特殊的指令中（尤其當這些指令較少被使用時）。此外， Dialog 系統尚提供暫時離線的功能，其指令為 " logoff hold "，或以其他任何可以離線的指令後加上 " hold " 表示。當使用暫時離線之指令時，檢索者必須在半小時內重新連線，方可繼續剛才未完成之檢索。補充說明一點，假設檢索者是以 " logoff " 離線，即使他在半小時內重新連線，也無法繼續其原先之檢索，一定得重頭開始檢索。現以簡單實例說明離線指令的正確用法。

    logoff   (離線)

    logoff hold (暫時離線，系統將保留其檢索步驟及結果 30 分鐘)

第三節 檢索指令之功能類表與檢索實例

第二節已對 Dialog 系統之檢索指令進行相當完整而詳盡的介紹，為方便讀者清楚掌握指令所能執行的功能，特別依據檢索功能表列指令（表 4-5）。也就是說，表 4-5 乃根據表 4-3 所訂定的檢索指令之功能類表加工而成，每一個功能後都緊接以括弧說明完成該功能所需之 Dialog 檢索指令。因此，檢索者在進行 Dialog 檢索時，若需回憶指令或查詢指令，表 4-5 是相當好的快速參考工具。

表 4-5 ：Dialog 系統之檢索指令功能類表

```
功能 1 ：選擇資料庫
    1.1 ：選擇資料庫（begin）
    1.2 ：改變資料庫（begin）
功能 2 ：建立與發展檢索組
    2.1 ：字典式詞彙選取（expand）
    2.2 ：直接鍵入檢索詞彙（select steps 和 select）
    2.3 ：限制欄位檢索（「欄位=欄位值」）
    2.4 ：刪除不必要之檢索組（無此指令）
    2.5 ：切截的應用（字根?）
    2.6 ：布林檢索（and、or、和 not）
    2.7 ：相近運算元檢索【（w）、（n）、和（l）】
功能 3 ：顯示或列印紀錄
    3.1 ：全螢幕顯示（display）
    3.2 ：連續顯示（type）
    3.3 ：選擇顯示格式（d 檢索組號碼/顯示格式/顯示範圍）
    3.4 ：選擇顯示資料範圍（d 檢索組號碼/顯示格式/顯示範圍）
```

表 4-5 ： Dialog 系統之檢索指令功能類表（續一）

```
    3.5 ：中止顯示（ break 鍵）

    3.6 ：離線列印（ print ）

功能 4 ：尋求協助

    4.1 ：找尋相關的檢索詞彙（ expand ）

    4.2 ：回顧檢索過程（ display set ）

    4.3 ：資料庫特色說明（ help file 資料庫號碼）

    4.4 ：指令語法說明（ help 指令名稱）

    4.5 ：查詢使用時間及費用（ cost ）

功能 5 ：中立指令

    5.1 ：改變系統預設值（ set ）

    5.2 ：儲存檢索（ save 、 save temp 和 map ）

    5.3 ：執行檢索（ execute steps 和 execute ）

    5.4 ：修改儲存之檢索（ edit ）

    5.5 ：專題選粹服務（無指令可直接完成此功能）

    5.6 ：依指定欄位進行排序（ sort 檢索組號碼/資料範圍/排序欄位）

    5.7 ：查出重複資料（ identify duplicates ）

    5.8 ：除去重複資料（ remove duplicates ）

    5.9 ：其他中立功能（ pause 、 report 等）

功能 6 ：連線和離線

    6.1 ：連線（依連線軟體不同而有差異，但都必須輸入帳號和密碼）

    6.2 ：離線（ logoff ）
```

　　最後謹以一實例說明 Dialog 線上檢索之實際情況。此檢索屬一次檢索（即一次同時檢索二個或二個以上之資料庫），使用者同時檢索 ERIC 和 Information Science Abstracts 二資料庫，為筆者在 1995 年 7 月 28 日完成之檢索。此檢索之主題為「相關」（ relevance ），總計使用過直接鍵入檢索詞彙（ss relevance and information retrieval）、字典式詞彙選取（s2）、限制欄位檢索（py=1995）、布林檢索（and）、連續顯示（type s7/5/1-2）及回顧檢索過程（ds）等多種功能。圖 4-3 包含檢索者所輸入之完整指令和系統回應，在 Dialog 系統中，指令輸入的提示符號為"?"，因此，圖中凡以"?"為首者，即為筆者輸入的指令與檢索敘述，在方括弧內的文字為補充說明，不屬於檢索者的指令及系統回應的內容。相信在閱讀過此檢索實例後，對如何在 Dialog 系統中進行檢索會有更深入的了解。

?b1,202
【同時開啟 1 號和 202 號資料庫】

　　　　28jul95 01:23:59 User738530 Session B211.1
　　　　　　　$0.50　　　0.033 Hrs FileHomeBase
　　$0.50　Estimated cost FileHomeBase
　　$0.10　ANSNET
　　$0.60　Estimated cost this search
　　$0.60　Estimated total session cost　　0.033 Hrs.

SYSTEM:OS　- DIALOG OneSearch
　File　　1:ERIC　1966-1995/JUN
　　　　　　(c) format only 1995 Knight-Ridder Info
　File 202:Information Science Abs.　1966-1995/Mar
　　　　　　(c) 1995 IFI/Plenum Data Corp.

　　Set　Items　Description
　　----　------　------------
?ss relevance and information retrieval
【直接鍵入檢索詞彙，將"relevance"和"information retrieval"以布林運算元
　"AND"相結合，得到 702 筆資料】
　　S1　13688　RELEVANCE
　　S2　　8193　INFORMATION RETRIEVAL
　　S3　　702　RELEVANCE AND INFORMATION RETRIEVAL

?ss relevance/de and s2
【由於資料筆數過多，將"relevance"限制於敘述語中，再和"information
retrieval"結合，但由於"information retrieval"已使用過，故直接選擇 s2 ，所
得結果縮減至 541 筆】

　　S4　　7905　RELEVANCE/DE
　　　　　8193　S2
　　S5　　541　RELEVANCE/DE AND S2

?ss py=1995
【找出資料庫中 1995 年出版之文獻】

　　　　　　圖 4-3　完整之 Dialog 檢索實例

S6   2558   PY=1995

?ss s5 and s6

【結合 s5 (relevance/de and s2)和 s6 (py=1995)，得到 4 筆資料】

541   S5
2558   S6
S7   4   S5 AND S9

?type s7/5/1-2

【以格式 5 列印檢索組號碼 7 之第 1 至第 2 篇文章】

7/5/1   (Item 1 from file: 1)
DIALOG (R) File   1:ERIC
(c) format only 1995 Knight-Ridder Info. All rts. reserv.

EJ496654   IR530108
    Utilizing the Age of References to Control the Exhaustivity of the Reference
Representation in Information Retrieval.
    Sumner, Robert G., Jr.
    Information Processing & Management; v31 n1 p29-45 Jan-Feb 1995
    ISSN: 0306-4573
    Available from: UMI
    Language: English
    Document Type: RESEARCH REPORT (143); JOURNAL ARTICLE (080)
    Journal Announcement: CIJMAY95
    The effectiveness of using the age of references to control the exhaustivity of
the reference representation in information retrieval was investigated through
analysis of optimal cluster-based retrieval results. The results show that the
foreground representation at its optimal level of exhaustivity is restricted to
references with ages less than or equal to seven. (24 references) (KRN)
    Descriptors: *Bibliographic Coupling; Bibliographic Databases; *Citation
Analysis; Citations (References); Cluster Analysis; *Comparative Analysis;
*Evaluation; Evaluation Methods; Graphs; *Information Retrieval;
*Performance; Relevance (Information Retrieval); Search Strategies
    Identifiers: *Exhaustive Search Method; Information Science Research

圖 4-3 完整之 Dialog 檢索實例（續一）

7/5/2   (Item 2 from file: 1)
DIALOG (R) File   1:ERIC
(c) format only 1995 Knight-Ridder Info. All rts. reserv.

EJ496580   IR529973
Interactive Thesaurus Navigation: Intelligence Rules OK?
Jones, Susan; And Others
Journal of the American Society for Information Science; v46 n1 p52-59 Jan
1995
ISSN: 0002-8231
Available from: UMI
Language: English
Document Type: POSITION PAPER (120); RESEARCH REPORT (143);
JOURNAL ARTICLE (080)
Journal Announcement: CIJMAY95
Discusses the feasibility of building intelligent rule- or weight-based
algorithms into general-purpose software for interactive thesaurus navigation.
Previous research is surveyed; practical investigations in thesaurus navigation
and query enhancement are described; and implications for automatic or
intelligent thesaurus navigation are considered. (16 references) (LRW)
Descriptors: Algorithms; *Computer Software; Indexing; Information
Retrieval; Literature Reviews; Relevance (Information Retrieval); Subject Index
Terms; *Thesauri
Identifiers: Examples; *Interactive Systems; *Navigation (Information
Systems); Query Formulations; Weighted Term Searching

?ds
【回顧檢索過程】

Set	Items	Description
S1	13688	RELEVANCE
S2	8193	INFORMATION RETRIEVAL (TECHNIQUES USED TO RECOVER SPECIFIC INFORMAT...)
S3	702	RELEVANCE AND INFORMATION RETRIEVAL
S4	7905	RELEVANCE/DE

圖 4-3 完整之 Dialog 檢索實例（續二）

S5	541	RELEVANCE/DE AND S2
S6	2558	PY=1995
S7	4	S5 AND S6

?logout
【決定離線】

      28jul95 01:29:56 User738530 Session B211.2
          $0.69   0.046 Hrs File1
            $0.00   4 Type (s) in Format   5
          $0.00   4 Types
          $0.00   View Fee
   $0.69   Estimated cost File1
          $0.80   0.053 Hrs File202
          $0.00   View Fee
   $0.80   Estimated cost File202
          OneSearch, 2 files,   0.100 Hrs FileOS
   $0.30   ANSNET
   $1.79   Estimated cost this search
   $2.39   Estimated total session cost   0.133 Hrs.
Logoff: level 38.06.08 B   01:29:56

圖 4-3：完整之 Dialog 檢索實例（續三）

附　註

註 1:C. T. Meadow, "The Computer as a Search Intermediary," Online 3 (1979), pp.54-89.

註 2:C. H. Fenichel, "Online Searching Measures That Discriminate Among Users with Different Types of Experiences," Journal of the American Society for Information Science 32 (January 1981), pp.23-32.

註 3:W. D. Penniman, "A Stochastic Process Analysis of On-line User Behavior," in Information Revolution: Proceedings of the 38th ASIS (American Society for Information Science) Annual Meeting, ed. C. W. Husbands and R. L. Tighe (Washington: American Society for Information Science, 1975), pp.147-148.

註 4:Janet L. Chapman, "A State Transition Analysis of Online Information Seeking Behavior," Journal of theAmerican Society for Information Science 32 (September 1981), pp.325-333.

註 5:John E. Tolle and Sehchang Hah, "Online Search Pattern: NLM CATLINE Database," Journal of the American Society for Information Science 36 (March 1985), pp.82-93.

註 6:Stephen P. Harter, Online Information Retrieval: Concepts, Principles, and Techniques (New York: Academic Press, 1986), p.28.

註 7:Taemin Kim Park, "The Nature of Relevance in Information Retrieval: An Empirical Study" (Ph. D. diss., Indiana University, 1992), pp.96-97. Joseph W. Janes, "The Binary Nature of Continuous Relevance Judgment: A Study of User's Perceptions," Journal of the American Society for Information Science 42 (1991), pp.754-756.

註 8:Mu-hsuan Huang, "Pausing Behavior of End-Users in Online Searching" (Ph. D. diss., University of Maryland, 1992), pp.161-169.

註 9:Searching Dialog: The Complete Guide (Palo Alto, C. A.: Dialog Information Services, 1987), p.2-8.

註 10:Dialog Price List (Mountain View, C. A.: Knight-Ridder Information, 1995).

註 11:Chemical Information Seminar: Chemical Searching for Non-Chemists (Palo Alto, C. A.: Dialog Information Services, c1991), p.3-1 to p.3-15.

註 12:Searching Dialog: The Complete Guide, op. cit., p.8-edit3 to p.8-edit7.

第五章 全國科技資訊網路簡介

　　本章擬介紹行政院國家科學委員會科學技術資料中心所發展之全國科技資訊網路（以下簡稱 STICNET ）。由於前章介紹之 Knight-Ridder （舊名為 Dialog ）系統係以指令式語言進行檢索， STICNET 則是以選項式語言進行檢索，再加上 Knight-Ridder 系統為美國人所設計，而 STICNET 系統為國人自行開發，因此介紹此二系統，可以收到非常好的互補效果。也就是說，可以藉此二章（第四章和第五章）充分瞭解指令式語言和選項式語言之特色，並比較國人自行研發之系統與國外系統之不同。本章將分四個節次討論，首先簡介 STICNET 系統，其次介紹 STICNET 之檢索系統架構與檢索方式，然後分析 STICNET 所提供之檢索功能，最後再比較 STICNET 系統與 Dialog 系統檢索功能之異同。

第一節　STICNET 簡介

　　國科會科學技術資料中心為配合國家科技發展政策，改善國內研究環境，於民國 75 年初開始規劃設計「全國科技資訊網路（ STICNET ）」，提供現代化資訊服務，協助研究人員加速研究工作之進行。STICNET 經審慎規劃、評估，至 76 年 12 月奉行政院核准，歷經一年之選機、系統轉換、資料庫建立、人員訓練及連線測試等作業，於 77 年 12 月對外開放使用。（註 1）在對外開放之初，STICNET 僅包含 7 個國內資料庫和 6 個國外資料庫，是為試用時期，不收取使用費用，直至 79 年 4 月才開始收費。之後，STICNET 不斷增加新的資料庫，並於 81 年 7 月與教育部「台灣學術網路（ TANet ）」連線，使各校園網路之終端工作站皆能與之相連，82 年 11 月與資策會「種子網路（ SEEDNET ）」完成連線作業，以便利國內產業界研究人員直接連線檢索。此外，STICNET 預計於 85 年與「網際網路（ Internet ）」連線，希望成為網際網路上之重要資訊節點。（註 2）

　　STICNET 上所收錄之資料庫仍在不斷增加之中，截至 1996 年 1 月止，計有 26 個國內資料庫及 8 個國外資料庫（註 3），表 5-1 和表 5-2 分別列舉此系統中所有國內資料庫和國外資料庫之名稱。

表 5-1 ： STICNET 收錄之國內資料庫

編號	資　　料　　庫　　名　　稱
1.	全國西文科技圖書聯合目錄
2.	全國西文科技會議論文集聯合目錄
3.	全國西文科技期刊聯合目錄
4.	全國學研機構光碟聯合目錄
5.	歐洲聯盟文獻聯合目錄
6.	中華民國研究計畫
7.	中華民國研究報告
8.	中華民國科技期刊論文
9.	中華民國人文社會期刊論文
10.	中華民國學術會議論文－國內
11.	中華民國學術會議論文－國外
12.	中華民國博碩士論文
13.	國科會研究獎勵費論文
14.	科技簡訊與政策報導
15.	歐洲科技發展報導
16.	中華民國學術研討講習會報導
17.	中華民國研究機構名錄－中文版
18.	中華民國研究機構名錄－英文版
19.	大陸地區科技研發機構名錄
20.	大陸地區科學家人名錄
21.	大陸地區高等學校名錄
22.	科技分類典
23.	全國人才資料庫
24.	全國科學儀器設備聯合目錄
25.	工研院技術報告資料庫
26.	食品科技資料庫

資料來源：作者於 1996 年 1 月實際檢索 STICNET 系統所得

表 5-2 ： STICNET 收錄之國外資料庫

編號	資　料　庫　名　稱
1.	ABI/INFORM
2.	BIOSIS PREVIEWS
3.	COMPENDEX PLUS
4.	DISSERTATION ABSTRACTS
5.	INSPEC
6.	MICROCOMPUTER ABSTRACTS
7.	NTIS
8.	SPORT

資料來源：作者於 1996 年 1 月實際檢索 STICNET 系統所得

第二節 STICNET 檢索系統架構

　　STICNET 檢索系統是由從事資料檢索的軟體 STATUS 和 MDI（ Menu Driven Interface ）介面軟體共同組合而成。在 STICNET 檢索系統中，儲存、檢索、顯示、和列印都是由 STATUS 軟體執行，但讀者卻是利用 MDI 介面軟體操作系統，二者之間的關係如圖 5-1。事實上， STICNET 在開放資訊網路中提供資料庫檢索時，除基本之資訊檢索功能外，還必須提供其他重要的功能，如資料傳輸和帳務處理等，而 STATUS 無法完成這些輔助功能，因此 MDI 檢索介面除扮演使用者與資料檢索軟體 STATUS 間的介面外，還需負責各項輔助功能之作業。（註 4）

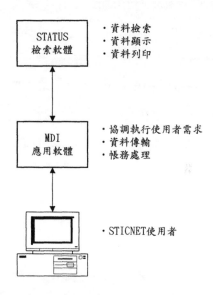

圖 5-1 ： STICNET 系統之基本架構

資料來源： Hsiao-chi Hsu, "A Guide to the Science & Technology
Information Center Network, R.O.C.," in SCI-TECH
Information Management Workshop (September 11-23,
1995), ed. the Science and Technology Center ([Taipei]:
Science and Technology Center, 1995), p.5-12

　　一般而言， STATUS 檢索軟體可以產生逐字索引
（ concordance ）檔案，儲存文件中每一個字並標示出該字
所在的位置，所以在檢索資料時，可以利用相近運算元或布
林運算元結合詞彙，而當找到相關資料時，也可以顯示列印
部分或完整之文件內容。在實際操作上， STATUS 系統是利
用 " q "表示檢索，因此檢索和圖書館有關文獻之指令為 " q

libraries?"；如欲利用切截，其表示符號為"*"，因此指令的書寫方式為" q librar*?"；如欲使用相近運算元，其規格為"/n1, n2/"，因此" q information /-1, 2 /theory?"表示檢索 information 和 theory 二字出現在同一段落之資訊，同時information 必須在 theory 前面一個字或後面二個字的範圍之內；如欲應用布林運算元則是以符號"＋"表示" AND "，符號"－"表示" NOT "，符號","表示" OR "，因此" q cat + dog, pet?"則表示檢索包含貓和狗或包含寵物之資訊。至於顯示列印方面，STATUS 除直接顯示所有完整文件（指令是" d all "）和顯示部分完整文件（指令是" d 1-3 "）外，尚提供讀者根據自身需要顯示部分資料的功能，例如" ds (ti, au, so) 1-3 "表示列印第 1 至第 3 篇資料之題名、作者及來源。（註 5）由此可知，STATUS 本身即可架構線上檢索系統，只是必須以指令式語言操作，同時其無法提供帳目資訊及資料傳輸等輔助功能。

　　至於隸屬選項式語言之 MDI 介面系統，其所能執行的功能相當多，除顯示不同的系統畫面供讀者選擇外，尚包括選擇資料庫、輸入檢索條件、顯示列印、帳務資料、結束作業、訊息報導、選定範圍、傳真服務、人才資料庫及線上說明等功能。同時，每一種功能都具備數種副功能，以主要系統畫面為例，其包含 9 個畫面供讀者選擇，其中" F1 "為國內資料庫，" F2 "為練習用國內資料庫，" F3 "為國外資料庫，" F4 "是練習用國外資料庫，" F5 "是傳真服務，

"F6"是館際合作名錄，"F7"是人才資料庫，"F12"是訊息報導，"F16"則爲離開系統。圖 5-2 顯示整個 MDI 系統之架構及功能，其中包含所有主要功能及次要功能之名稱及代碼，可以視爲非常簡潔、方便且快速之參考資料。

在討論過 STICNET 檢索系統架構後，擬以中華民國博碩士論文資料庫及 Dissertation Abstracts 資料庫爲例介紹 STICNET 系統之資料庫結構。由於上述二資料庫收錄資料之型式相同（皆爲博碩士論文），只是其記載語文有所不同，非常方便作各種不同的比較。再者，由於 Dissertation Abstracts 資料庫和 Dialog 系統中之 DAO（ Dissertation Abstracts Online ）資料庫之資料來源相同，所以也提供一絕佳機會審視同一資料庫在不同檢索服務系統上可能產生的變化與影響。一般而言， STICNET 系統上各資料庫的停字都很多，其中中華民國博碩士論文資料庫中有 228 個停字（註 6），而 Dissertation Abstracts 資料庫中也有 219 個英文停字（註 7），比起 Dialog 系統中的 9 個停字， STICNET 系統上之停字可謂多如牛毛。事實上，龐大數目的停字會造成區別相近文章上的障礙，可是 STICNET 系統之檢索速度已經十分緩慢，如果這些一般性的字再加入檢索陣容，一定會造成檢索速度更爲遲緩的現象。此外， Dialog 系統之倒置檔至少可以區分爲基本索引檔和附加索引檔，而 STICNET 系統則沒有作如此區隔，其將所有可供檢索的資訊置於同一檔案中，這可能是 STICNET 檢索速度超慢的原因之一。再者，

Dialog 系統中所提供的限制功能及排序功能， STICNET 系統也無法對應提供。但若將這三個資料庫所提供之檢索欄位互相比較，則發現彼此之間的差異不算太大。表 5-3 顯示上述三個資料庫可供檢索之欄位，其中 Dissertation Abstracts 和 DAO 資料庫來自相同之資料庫製造商，所以檢索欄位最為類似，但大致而言， Dialog 所提供之檢索欄位較多（例如摘要、機構代碼和更新等欄位），而 Dissertation Abstracts 資料庫較其他系統多出之檢索欄位僅有論文頁數，但其必須在特殊欄位「號碼」中方能進行檢索。至於中華民國博碩士論文中獨特之檢索欄位為單位編號、中英文關鍵詞及分類號等，其中中英文關鍵詞的產生乃因缺乏敘述語再加上提供中英文雙語檢索所導致，不能算是一項創新。總體而言， STICNET 系統上之資料庫檢索功能仍然比國外大型書目資料庫之檢索功能遜色，再加上其功能層次往往略低及其檢索彈性上的限制， STICNET 的表現自然無法與國外大型線上檢索系統相比。

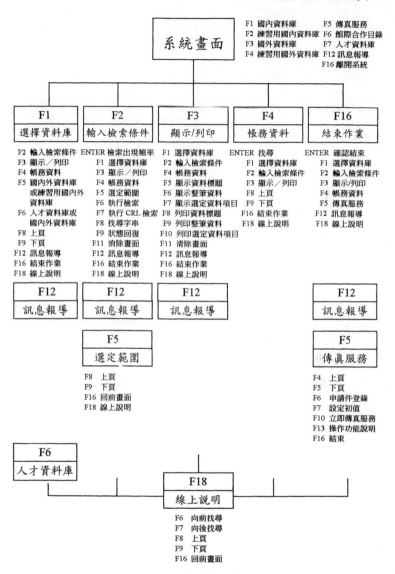

圖 5-2 ： MDI 系統架構及功能

資料來源：全國科技資訊網路 STICNET 教育訓練資料
　　　　　　（〔台北市〕：科資中心，民 84 ），頁 3-3 。

表 5-3：中華民國博碩士論文資料庫、Dissertation Abstracts 資料庫及 DAO 資料庫之檢索欄位一覽表

檢索欄位	資料庫名稱		
	中華民國博碩士論文資料庫	Dissertation Abstracts 資料庫	DAO 資料庫
題名	✓	✓	✓
作者	✓	✓	✓
指導教授	✓	✓	✓
機構名稱	✓	✓	✓
年代	✓[1]	✓[1]	✓
來源	✓	✓	✓
敘述語		✓	✓
敘述語碼		✓	✓
購買號碼		✓[2]	✓
ISBN		✓[2]	✓
學位		✓	✓
語文	✓		✓
資料編號	✓		
中文關鍵字	✓		
英文關鍵字	✓		✓
分類號	✓		
頁數		✓[2]	
號碼		✓	
摘要	[3]	[3]	✓
機構代碼			✓
更新			✓

註： 1 表示可在來源欄位中提供年代檢索
2 表示可在號碼欄位中提供檢索
3 表示可顯示資料內容但不提供檢索之欄位

第三節 STICNET 系統之檢索方式

　　STICNET 系統受其軟硬體限制,在檢索功能的提供上,無法和國外大型線上檢索系統所提供的彈性和親和力相提並論。一般而言, STICNET 系統可提供全文且自由格式之檢索,且檢索條件中大小寫英文字母並不會影響檢索結果。再者, STICNET 系統將許多英文常用字視爲停字,舉凡冠詞、介詞、連接詞等均爲常用字,無法提供檢索,通常每個資料庫的常用字不盡相同,但其數量都相當大,爲確定所檢索之字詞是否爲常用字,可參閱全國科技資訊網路參考手冊。(註 8)除此之外, STICNET 一些常用且重要的檢索方式如下:(註 9)

　　1.單字檢索

　　　單字是 STICNET 系統中最基本之檢索單位,例如" Information "、" retrieval "和「金」字皆是。一般而言,使用單字檢索,只要將單字鍵入條件值欄位內即可。但若單字本身包含特殊符號(如+、-、*、及&),其輸入方式依所檢索之資料庫對此特殊符號之處理而有不同的輸入型式。通常在資料庫宣告該特殊符號爲檢索字元時,以" CAD/CAM "爲例,使用者必須於檢索單字前後以引號括起來,即以" CAD/CAM "方式進行檢索,若資料庫未宣告該特殊符號爲檢索字元時,使用者必須以空白取代特殊符號，因此 CAD/CAM 必須以" CAD CAM "的型式輸入。

2.片語檢索

　　STICNET 提供連續二個單字以上所組成的片語檢索，例如：" information retrieval "及「蛋白質」等。當檢索片語中包括特殊符號時，其處理方式與單字相同。

3.布林運算元檢索

　　布林運算元中三種邏輯關係" AND "、" OR "及" NOT "，在 STICNET 系統中分別以"＋"、","及"－"號表示，其可用來表示二個以上單字或片語間的關係。現將三種布林邏輯關係介紹如下：

　　(1) cat ＋ dog

　　　　表示檢索到的資料不僅與貓有關，同時也必須與狗有關。

　　(2) 貓，狗

　　　　表示檢索到的資料應為與貓或狗相關之資料。

　　(3) 貓－狗

　　　　表示檢索到的資料應為不討論狗之有關貓的資料。

4.相近運算元檢索

　　在 STICNET 系統中，相近運算元可用來描述檢索片語中字與字的相關位置，也就是說，相近運算元可以控制字詞出現的先後順序及距離。一般而言，以符號"//"（二個斜撇符號）表示相近運算元的應用，"//"本身沒有插入任何數字表示此二個字必須出現在同一段落中，其間插入的數字則表示字詞間所能容忍的最大距離。現以三個例子分別說明如下：

(1) information // theory 　　　表示 information 和 theory 在同一段落內，沒有先後次序關係。

(2) information /2/ theory 　　　表示 information 後第二個字必須為 theory。

(3) information /-1, 2/ theory 　表示 theory 可以位於 information 前一個字或是後二個字以內。

5.切截之應用

切截的主要功能是在檢索所有字根相同的字，但在 STICNET 系統中，只能進行右切截的動作，無法完成左切截和中間切截的功能。由於切截符號在 STICNET 中為"*"，因此 " comput*" 表示檢索所有字根為 " comput " 的字。

6.範圍檢索

所謂範圍檢索是指檢索螢幕上以 "＃"為前導之檢索項目，例如「＃出版日期」及「＃ISSN」等，其中範圍值本身須以小括弧括之，並於括弧前輸入算術運算符號 "＜"、"＝"、"＞"、"＞＜"等，分別舉例說明如下：

(1) ＞ (1995/11)

　　表示檢索出版日期晚於 1995 年 11 月之出版品

(2) ＜ (1990/01)

　　表示檢索出版日期早於 1990 年 1 月之出版品

(3) ＝ (1995*)

　　表示檢索 1995 年之出版品

(4) ＞＜ (1993/01) (1995/12)

　　表示檢索出版日期介於 1993 年 1 月和 1995 年 12 月間之出版品

　　由於 STICNET 為一選項式系統，基本上只要輸入選項的編號或是按下所欲執行的功能鍵即可。一般而言，STICNET 目前所在功能之選項呈現於中間及上方螢幕中，其他功能選項（通常是切換至其他功能的畫面）則位於螢幕下方，使用者可以根據需要自行選擇。雖說選項式語言的原意是不需經過任何學習即可直接操作系統，但 STICNET 並非一設計完善之檢索系統，因此在沒有任何學習的情況下，一定會迷失於系統之中。正因如此，特別依照前章所提及之功能分析表將 STICNET 之檢索功能作一詳細介紹，但由於 STICNET 系統所提供之功能不盡完善，僅能就其具備之功能進行討論。

功能 1 ：選擇資料庫

功能 1.1　選擇資料庫

　　成功連線至 STICNET 系統後，系統即出現如圖 5-3 的畫面，此畫面爲 STICNET 之主要畫面。從螢幕中的選項得知，按 F1 功能鍵選擇國內資料庫， F2 功能鍵選擇練習用國內資料庫， F3 選擇國外資料庫， F4 選擇練習用國外資料庫， F7 則爲人才資料庫。假設使用者欲檢索國內資料庫，螢幕上會出現如圖 5-4 之畫面，使用者可以在此畫面上作選擇，例如選擇編號爲 8 之中華民國科技期刊論文資料庫等。如欲選擇其他資料庫，可按 F9 功能鍵轉至下頁（ F8 功能鍵可回到上頁 ）。倘若檢索者想執行其他功能，也可以選擇合適的選項，例如使用者欲離線結束檢索作業，即可執行 F16 功能鍵，但由於一般電腦鍵盤之功能鍵僅有 12 個，因此 F16 功能鍵必須同時按下 Shift 和 F6 方可執行。

功能 1.2　改變資料庫

　　從 MDI 系統架構可得知，使用者在其他非選擇資料庫的畫面，如欲改變目前檢索之資料庫，可按 F1 重新回到選擇資料庫之原始畫面（圖 5-3 ）。

功能 2：建立與發展檢索組

功能 2.1 字典式詞彙選取

STICNET 系統並不具備此一功能，雖然可檢查字詞之出現頻率（類似線上索引典），但仍無法提供字典式詞彙選取的功能。

```
SSSSSS   TTTTTTTT IIII   CCCCC    NN    NN   EEEEEEE TTTTTTTT
SS   SSS    TT     II  CC  CCC  NNN   NN   EE    EE    TT
SS          TT     II  CC       NN NN NN  EE EE        TT
SSSSS       TT     II  CC       NN   N NN  EEEEE       TT
     SS     TT     II  CC       NN   N NN  EE EE        TT
SSS   SS    TT     II  CC  CCC  NN    NNN  EE    EE    TT
SSSSSS      TT    IIII  CCCCC   NN    NN   EEEEEEEE   TT
```

全 國 科 技 資 訊 網 路 系 統 （ S T I C N E T ）

行政院國家科學委員會科學技術資料中心
Science and Technology Information Center, National Science Council

F1)國內資料庫	F2)練習用國內資料庫	F5)傳真服務
F3)國外資料庫	F4)練習用國外資料庫	F6)館際合作名錄
F7)人才資料庫	F12)訊息報導	F16)離開系統

圖 5-3：STICNET 系統之主要畫面

資料來源：作者於 1996 年 1 月實際檢索 STICNET 系統所得

```
全國科技資訊網路系統（STICNET）      （SCR: 100）
              ＜ 國內資料庫 ＞
編
號  資    料    庫    名    稱      資 料 量   製作單位

 1. 全國西文科技圖書聯合目錄（75-95/06）    198,346   科資中心
 2. 全國西文科技會議論文集聯合目錄          41,490   同上
 3. 全國西文科技期刊聯合目錄（1994）       19,074   同上
 4. 全國學研機構光碟聯合目錄（1995/01）        374   同上
 5. 歐洲聯盟文獻聯合目錄（To 1993）         1,656   同上
 6. 中華民國研究計畫（1986-1995/06）       33,431   同上
 7. 中華民國研究報告（1984-1995/10）       30,450   同上
 8. 中華民國科技期刊論文（1988-1995/09）     87,433   同上
 9. 中華民國人文社會期刊論文（91-95/12）     21,633   同上
10. 中華民國學術會議論文－國內（90-95/12）    23,305   同上
11. 中華民國學術會議論文－國外（91-96/01）     5,413   同上
12. 中華民國博碩士論文（87-95/02）         52,166   同上
13. 國科會研究獎勵費論文（85-95）         25,924   同上

                                （接下頁）
     請輸入資料庫編號：_____（按 Enter）

F18 線上說明  F2 輸入檢索條件  F3 顯示／列印  F4 帳務資料  F12 訊息報導
F5 國外資料庫 F6 人才資料庫   F8 上頁      F9 下頁     F16 結束作業
```

圖 5-4 ：STICNET 系統選擇資料庫畫面

資料來源：作者於 1996 年 1 月實際檢索 STICNET 系統所得

功能 2.2　直接鍵入檢索詞彙

圖 5-5 顯示 STICNET 系統中之華民國科技期刊論文資

　　料庫輸入檢索條件之畫面，在此畫面中，如欲輸入檢索詞
彙，可根據語文選擇檢索項目為中文關鍵詞（代碼為 08 ）
或英文關鍵詞（代碼為 09 ），而後在條件值欄輸入檢索詞
彙即可。假設使用者想找尋有關「齒輪機構」的作品，可
在檢索項目中鍵入" 08 "表示中文關鍵詞，再於條件值欄
中輸入「齒輪機構」，最後再按功能鍵 F6 執行檢索即可。

```
全國科技資訊網路系統（STICNET）            (SCR：200)
資料庫：中華民國科技期刊論文（1988-1995/09）：    87,433 篇

檢索項目    （'#'開頭表範圍檢索項目，項目'00'表全文檢索 ）
01 題名    03 作者    04 服務機構    05 出處
06 分類號  07 語文  08 中文關鍵詞   09 英文關鍵詞
12  #出版日期


+,-& 檢索項目    條        件        值        欄
    ―――――――――――――――――――――――
―   ―――――――――――――――――――――――
―   ―――――――――――――――――――――――
―   ―――――――――――――――――――――――
―   ―――――――――――――――――――――――
―   ―――――――――――――――――――――――


檢索結果暫存區（CRL）中有    0 篇

檢查＿＿＿＿＿＿＿＿＿＿＿＿出現頻率（按 Enter 鍵）

F18 線上說明    F1 選擇資料庫    F3 顯示／列印    F4 帳務資料
F5 選定範圍    F6 執行檢索    F7 執行 CRL 檢索   F8 找尋字串
F9 狀態回復    F11 清除畫面    F12 訊息報導    F16 結束作業
```

圖 5-5 ：STICNET 系統輸入檢索條件之畫面

資料來源：作者於 1996 年 1 月實際檢索 STICNET 系統所得

功能 2.3　限制欄位檢索

同樣以中華民國科技期刊論文資料庫為例，此資料庫提供之限制欄位檢索包含題名（檢索項目代碼為 01 ）、作者（代碼 03 ）、服務機構（代碼 04 ）、出處（ 05 ）、分類號（代碼 06 ）、語文（代碼 07 ）、中文關鍵詞（代碼 08 ）、英文關鍵詞（代碼 09 ）及出版日期（代碼 12 ）等 9 個欄位。其限制欄位檢索的方式是先以代碼選擇所欲檢索的欄位，而後在條件值欄輸入適當的條件值。例如使用者想檢索顏鴻森教授的文章，可在檢索項目中鍵入 " 03 " ，然後於條件值欄中輸入「顏鴻森」，最後再按功能鍵 F6 執行檢索即可。

功能 2.4　刪除不需要之檢索組

STICNET 系統並不具備此功能，但可按功能鍵 F11 清除畫面，以便重新輸入檢索條件。

功能 2.5　切截的應用

STICNET 系統中之切截符號為 "*" ，但其只具備右切截的功能，無法執行左切截和中間切截的功能。例如輸入 " librar*" 可檢索出所有字根為 librar 的字。

功能 2.6　布林邏輯檢索

STICNET 系統中以 "+" 表示布林運算元 " AND " ，

以 " ， " 表示布林運算元 " OR " ，而以 " － " 表示布林運算元 " NOT " 。由圖 5-5 中可看出，檢索畫面之第一欄位為 " ＋ ， － ＆ " ，此即為標示布林運算元之處。假設使用者欲檢索有關 " gears " 和 " kinemetics " 主題在 1994 年至 1995 年間之文章，可在檢索項目中輸入 " 09 " （表示英文關鍵詞），而後在條件值欄中鍵入 " gear ＋ kinemetics " ，再至第二行中之 " ＋ ， － ＆ " 欄位中鍵入 " ＋ " ，於檢索項目中選擇 12 （出版日期），於條件值欄輸入 " ＞＜ (1994/01)(1995/12)" 即可。當所有檢索結果都輸入後，可以得到如圖 5-6 的畫面，如欲執行，則必須按下功能鍵 F6 。

＋ ， － ＆	檢索項目	條件值欄
	09	gears ＋ kinemetics
＋	12	＞＜(1994/01)(1995/12)

圖 5-6 ： STICNET 系統之布林檢索實例

功能 2.7 相近運算元檢索

STICNET 系統所提供之相近運算元並非一般常見的 " w " （表示二個字緊連且順序不可互調）、 " n " （表示二字緊連，但位置可互換）或 " l " （表示同在一敘述語中），而是以 " // " 中間加上數字表示這二個字的距離。由於在相近運算元部分已詳細介紹過，因此不再贅述。

功能 3 顯示或列印紀錄

功能分析表中功能 3 的副功能包括全螢幕顯示、連續顯示、選擇顯示格式、選擇顯示資料範圍、中止顯示及離線列印等副功能，除中止列印功能外，其他功能 STICNET 系統均有提供。在 STICNET 系統中，選擇執行顯示／列印之功能鍵 F3 後，可得到如圖 5-7 之畫面。在圖 5-7 中，顯示位於畫面左方，列印位於畫面右方，其中顯示是指在螢幕中逐一顯示資料，列印則包括直接列印或轉錄資料。一般而言，不管是顯示或列印，系統皆提供資料標題、完整資料及選定資料項目三種選擇，使用者可根據需要選擇其一，並輸入顯示或列印範圍即可（如 " 1-3, 5, 7, 20- " 或 " all " 等）。如果透過教育部學術網路或資策會之種子網路連線，當檢索者想轉錄至個人使用之硬碟時，必須將報表列印系統主機改為 " PC0051 "，轉至碟片 A 改為 " PC0052 "，轉至碟片 B 則改為 " PC0053 "。當然，如欲改變報表寬度，也可將預設的 80 欄位更改成使用者所需的欄位大小。

功能 4 尋求協助

功能 4.1 找尋相關檢索詞彙

STICNET 系統並未提供真正的線上索引典（指包含廣

義詞、狹義詞及相關詞等之索引典），其僅提供字母順序類似之參考詞彙，只要在圖 5-5 下方「檢查_____出現頻率」之畫面中，於底線之上輸入所欲查檢之字，即可得知字母順序類似詞在此資料庫中之出現頻率。

```
全 國 科 技 資 訊 網 路 系 統 （ STICNET ）        (SCR：200)
資料庫：中華民國科技期刊論文 (1988-1995/09)  ：87,433 篇

選擇資料庫項目：（請在資料項目前鍵入非空白字元）
_題名        _單位類號         _作者           _服務機關
_出處        _分類號           _語文           _中文關鍵詞
_英文關鍵詞  _中文摘要         _英文摘要

_____
報表列印系統主機：_____    報表寬度(65-132):_80
請輸入資料輸出之流水編號：如'1-3,5,7,20-'或'All'等

        →   _____


        顯    示                    列    印
     ==============         ==============
     F5 顯示資料標題              F8 列印資料標題
     F6 圖示整筆資料              F9 列印整筆資料
     F7 顯示選定資料項目          F10 列印選定資料項目


檢索結果暫存區（CRL）中有    0 篇
_____
F18 線上說明      F1 選擇資料庫    F2 輸入檢索條件    F4 帳務資料
F11 清除畫面      F12 訊息報導                        F16 結束作業
```

圖 5-7： STICNET 系統之顯示列印畫面

資料來源：作者於 1996 年 1 月實際檢索 STICNET 系統所得

功能 4.2 回顧檢索過程

STICNET 系統並不具備此功能。

功能 4.3 資料庫特色說明

當使用者需要資料庫特色方面之資訊時，可以在選擇資料庫的畫面中按下功能鍵 F18 ，根據線上指示即可得到所需資訊。此外，使用者也可回到主要畫面（圖 5-3 ），選擇訊息報導（ F12 ）之選項，然後再選擇選項 3 之國內外資料庫概況亦可。

功能 4.4 指令語法說明

在所有包含 F18 功能鍵的畫面按下此鍵，即可獲得該功能之指令語法說明。和資料庫特色說明一樣，使用者可透過選擇訊息報導之選項，然後再選擇編號為 4 的「基本檢索方式說明」，獲得有關指令語法之說明。

功能 4.5 查詢使用時間及費用

使用者如欲查詢使用時間及費用，可在螢幕中按入功能鍵 F4 （帳務資料），系統即會顯示在特定期間內（由檢索者自己設定）所查詢之資料庫名稱、使用時間及費用等。如果檢索者想知道 STICNET 系統中國內外資料庫之計價方式，包含資料庫使用費、線上列印費及線外印出費等，可經由訊息報導的畫面，選擇編號為 5 之「計價方式與說明」。

功能 5　中立指令

　　本書功能分析表中有關中立功能之副功能，包括改變系統預設值、儲存檢索、執行檢索、修改儲存之檢索、專題選粹服務、依指定欄位進行排序、查出重複資料及除去重複資料等 8 項副功能。一般而言，除改變系統預設值外，STICNET 系統完全沒有提供這些較為複雜的檢索功能。事實上，STICNET 系統改變系統預設值的功能亦相當薄弱，幾乎只有在顯示或列印時，使用者方能擁有更改報表列印系統主機及報表寬度等少數彈性。

功能 6　連線與離線

功能 6.1　連線

　　不管是透過教育部學術網路或是資策會之種子網路，當使用者成功連線至科資中心主機後，終端設備會出現請檢索者輸入使用者代碼和密碼的訊息（如圖 5-8 ）。此處 STICNET 之設計十分奇怪，在使用者代碼（ Login ID ）上只接受大寫字母，小寫字母被視為無效輸入，而後必須以" TAB "鍵移至密碼區（ Password ）後再輸入密碼。對於一個不熟悉這些規則的使用者，可能會覺得此系統之親和力相當差。一般而言，使用者成功地輸入使用者代碼及密碼後，即可進入 STICNET 系統之主畫面（圖 5-3 ）。

```
              ***   Wang   VS   Logon   ***


Workstation    0         3:52 pm      Friday    January 26, 1996




                      Hello new user
             Welcome to VS10K STICHOST (STICRSF:STICHOST)




Please identify yourself by supplying the following information


                 Logon ID =
                 Password =


```

圖 5-8 ： STICNET 系統之輸入使用者代碼及密碼畫面

資料來源：作者於 1996 年 1 月實際檢索 STICNET 系統所得

功能 6.2 離線

　　當使用者完成檢索時，可鍵入功能鍵 F16 離開 STICNET 系統，之後螢幕上會顯示使用者意見箱，使用者可自行決定輸入意見或是輸入完成鍵（ enter 鍵）確認結束。當輸入完成鍵確認結束後，即可完全離開 STICNET 系統。

　　最後，依本書所設計之指令功能類表，將 Dialog 系統所提供之檢索功能和 STICNET 系統所提供之檢索功能作一比較，表 5-4 即為此二系統之功能比較表。一般而言， Dialog 系統所提供的功能較多且彈性較大，尤其是在中立功能及建立與發展檢索組上。也就是說，即使在 STICNET 系統和 Dialog 系統提供同樣功能的情況下，通常 STICNET 所提供的功能都較為簡單，能夠做的選擇也較少，這可能是採用選項式語言的必然結果。事實上， STICNET 受制於其軟硬體設備及必須處理中文的先決條件，很多功能都無法提供，再加上其檢索速度相當慢，需要改進的空間遠較 Dialog 系統為大。

表 5-4 ： Dialog 系統與 STICNET 系統之功能比較表

功能	Dialog 系統	STICNET 系統
選擇資料庫	✓	✓
改變資料庫	✓	✓
字典式詞彙選取	✓	
直接鍵入檢索詞彙	✓	✓
限制欄位檢索	✓	✓
刪除不需要之檢索組		
切截的應用	✓	✓[1]
布林運算元 AND	✓	✓
布林運算元 OR	✓	✓
布林運算元 NOT	✓	✓
相近運算元(w)	✓	✓
相近運算元(n)	✓	✓[1]
相近運算元(ℓ)	✓	
全螢幕顯示	✓	✓
連續顯示	✓	✓
選擇顯示格式	✓	✓
選擇顯示資料範圍	✓	✓
中止顯示	✓	
離線列印	✓	✓
找尋相關檢索詞彙	✓	
回顧檢索過程	✓	
資料庫特色說明	✓	✓
指令語法說明	✓	✓
查詢使用時間及費用	✓	✓
改變系統預設值	✓	✓
儲存檢索	✓	
執行檢索	✓	
修改儲存之檢索	✓	
專題選粹服務	✓	

註： 1 表示僅提供部分功能

附　註

註1:全國科技資訊網路 STICNET 教育訓練資料（〔台北市〕：科資中心，民 84 ），頁 1-1。

註2:Hsiao-chi Hsu, "A Guide to the Science & Technology Information Center Network, R.O.C.," in SCI-TECH Information Management Workshop (September 11-23, 1995), ed. the Science and Technology Center ([Taipei]: Science and Technology Center, 1995), p.5-3.

註3:此資訊為作者於 1996 年 1 月實際上線所得之結果。

註4:同註 1 ，頁 3-1。

註5:同註 2 ，頁 5-1 至 5-15。

註6:「中華民國博碩士論文資料庫」，行政院國家科學委員會科學技術資料中心編，全國科技資訊網路參考手冊（〔台北市〕：科資中心，民 83 ），頁 3-4。

註7:「 Dissertation Abstracts 資料庫」，行政院國家科學委員會科學技術資料中心編，全國科技資訊網路參考手冊（〔台北市〕：科資中心，民 83 ），頁 3-4。

註8:行政院國家科學委員會科學技術資料中心編，全國科技資訊網路參考手冊（〔台北市〕：科資中心，民 83 ）。

註9:同註 1 ，頁 3-6 至 3-8。

第六章 檢索策略與檢索技巧

　　檢索策略（ search strategy ）在資訊檢索上並不是一個定義明確的詞彙，不同的作者在不同的書中常有不同的用法。例如在 Hartley 等人所著的 *Online Searching: Principles & Practice* 一書中，檢索策略是指如何避免找到不相關文章的方法或是處理找到過多或過少相關文章的可能對策(註 1)；在 Pao 的 *Concepts of Information Retrieval* 一書中則是指布林檢索策略、引用文獻檢索策略及機率檢索策略（ probability search strategy ）等（註 2 ）；而在 Palmer 所撰之 *Online Reference and Information Retrieval* 一書中，檢索策略是在探討分區組合檢索（ block building ）及引用文獻滾雪球法（ citation pearl growing ）二種檢索策略。（註 3 ）由於缺乏統一的定義，檢索策略的範圍可大可小，它可能是指檢索上通盤的考量，也可能是針對某一線上狀況所採取的行動或決策。

　　雖說檢索策略至今還是頗具爭議性的名詞，但至 1979 年 Marcia Bates 發表" Information Search Tactics "一文後（註 4 ），大部分的作者即根據軍方對策略（ strategy ）和技巧（ heuristics ）的分別來區別檢索策略與檢索技巧

（ search tactics 或 heuristics ）之不同。依照 Bates 的定義，檢索策略是針對一檢索問題之通盤考量或全面性規劃（註5），而檢索技巧只是為完成特定目的所採取的行動。（註6）事實上，即使檢索策略規劃得非常完善，檢索者在操作上還是會碰到一些意想不到的問題，而這些問題都必須使用合適的檢索技巧才能迎刃而解。正因為線上檢索是人和機器間一連串的互動行為（早期很多檢索皆為批次檢索，但目前已經很少有批次檢索存在），配合目前強調互動和即時解決問題的趨勢，很多作品都因而非常強調檢索技巧的重要性。但不管如何，檢索者還是必須在上線前盡其可能地將檢索策略規劃完善，因為任何一分上線前的努力，都可以減少在線上發生問題的機會，以多預留一些資訊處理空間給檢索者應付真正突發的狀況。

總而言之，檢索策略和檢索技巧對高品質的線上檢索同樣重要，因此本章的前面部分將探討檢索策略，首先討論最常見的二種檢索策略－－分區組合檢索法和引用文獻滾雪球法，然後說明其他常見之檢索策略。至於檢索技巧方面，由於研究者甚多，因此僅就 Harter（註7）、 Fidel（註8）、和 Bates （註9）三人對檢索技巧的整理作一概述。希望藉由分別描述檢索策略和檢索技巧，使讀者對其有完整的認知，而能將其應用於實際檢索中。

第一節 分區組合檢索法和引用文獻滾雪球法

　　本節將介紹最常見的二種檢索策略，即分區組合檢索法和引用文獻滾雪球法。首先探討分區組合檢索法。 Harter 在 *Online Information Retrieval: Concepts, Principles, and Techniques* 一書中稱此法為 " building block " （註 10 ），而 Palmer 在 *Online Reference and Information Retrieval* 一書中則將其稱之為 " block building " 。（註 11 ）不管其英文為 " building block " 或是 " block building " ，中文都統一翻譯成「分區組合檢索」。事實上，分區組合檢索是使用率最高的檢索策略，很多機構都將其視為標準化的檢索方式，此現象可由參考晤談表的格式中看出端倪，例如科資中心的國際百科資料庫檢索申請表即是採用分區組合檢索的概念。一般而言，分區組合檢索是將檢索問題分解為數個（通常是 3 至 4 個）主題層面（ facets ），再確定這些主題層面間的關係，通常這些主題層面的關係多為 " AND " ，出現 " OR " 或 " NOT " 關係之機率較低。然後再針對各個主題層面，找出所有能代表此主題之檢索詞彙，將這些詞彙以布林運算元 " OR "做聯集，藉以充分掌握每個主題之完整性。Harter 在其線上檢索之標準教科書中詳列分區組合檢索的 12 大步驟，經去蕪存菁後，表 6-1 列出 8 個最重要的步驟。（註 12 ）

表 6-1：分區組合檢索步驟表

1.選擇資料庫

2.確定問題之主要概念（主題層面）及其布林邏輯關係

3.依序找出代表每個概念（主題層面）之所有詞彙

4.將各概念下的所有詞彙以"OR"連結

5.將步驟 4 所得結果以步驟 2 所決定之布林關係進行結合

6.依步驟 1 至步驟 5 規劃檢索敘述

7.輸入檢索敘述

8.評估檢索結果

資料來源：Stephen P. Harter, Online Information Retrieval: Concepts, Principles, and Techniques (New York: Academic Press, 1986), p172.

　　在表 6-1 的 8 個步驟中，又以步驟 2 至步驟 5 為分區組合檢索最主要的精神所在，圖 6-1 即以簡單圖形描述這四個精華步驟。從圖 6-1 可以清楚得知，分區組合檢索首先將檢索問題分解成不同的主題層面，確定這些層面間的布林邏輯關係，然後再將各個層面的所有同義詞聯集成一新集合，最後將所得的新集合以原先設定的布林邏輯關係加以結合，即可獲得最後檢索結果。在找出所有可以代表該主題層面之詞彙時（即列舉同義詞的階段），檢索者考慮的詞彙不能僅限於同義詞，應該還包括類同義詞和狹義詞，甚至一些相關詞最好也能包括在內，如此才能將所有的相關文章一網打盡。至於將新集合進行組合時，Harter 將其稱之為「中國菜單」（Chinese menu），意即像中國菜一樣，把所有的調味料和

各式各樣的菜放在一處烹調。（註 13 ）

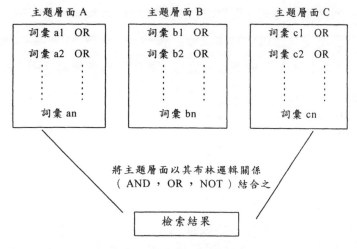

圖 6-1 ：分區組合檢索圖示

資料來源： Stephen P. Harter, Online Information Retrieval: Concepts, Principles, and Techniques (New York: Academic Press, 1986), p173.

　　如果很單純地從檢索層面和檢索詞彙的數目多寡來討論分區組合檢索，當檢索所得之資料筆數過多時（也就是想增加精確率時），可以嘗試增加主題層面的數目或是刪除一些較不相關的詞彙。一般而言，增加主題層面數目意謂著更多概念的交集，通常概念愈多，所得到的交集集合將會愈小；而聯集時正好相反，愈多詞彙聯集往往造成愈大的集合。因此，當檢索所得之資料筆數過少時（也就是檢索者想增加回收率時），最適合的檢索技巧為刪除次要之主題層面或是在各主題層面中增加一些相關度較低的詞彙。

　　下面以一個相當簡單的 Dialog 檢索實例說明分區組合檢索的應用方式。假設檢索主題是利用電腦教導外國語文，由於使用分區組合檢索之檢索技巧，自然必須找出檢索所需之主題層面。一般而言，此檢索問題可以區分為三個主題層面，分別是「電腦」、「教學」和「外國語文」，其中「電腦」和「教學」二個概念，也可合併為一個概念－－「電腦輔助教學」。由於主題和教學有關，因此決定檢索 ERIC 資料庫。在找出每個主題層面之所有檢索詞彙上，擬將檢索問題分為三個主題層面說明：在電腦方面，除了電腦一詞外，尚可包括各式各樣不同的電腦，如 Apple II 、 PC 和 Mac 等；在教學方面，除了 " teach " 一詞外，尚可包括 " coach " 和 " instruct " 等詞彙；在外國語文方面，因為此詞在 ERIC 之索引典中並非敘述語，所能找到最接近的替代字為 " modern languages " ，但由於英文、法文、德文和西班牙文等皆為外國語文，所以這些字也都是合適的檢索詞彙。現將此段文字部分的討論放入圖 6-1 的架構中，以圖 6-2 清楚描述分區組合檢索法之正確使用方式。

　　至於引用文獻滾雪球法，此乃相當常見的檢索策略之一。顧名思義，引用文獻滾雪球法的先決條件是事先掌握一篇或數篇相關文章，利用這些相關文章尋找更多相關的文章，因此相關文章就像珍珠或雪球一樣愈滾愈大（多）。事實上，不少人在人工作業的環境中尋找資料時，就經常使用

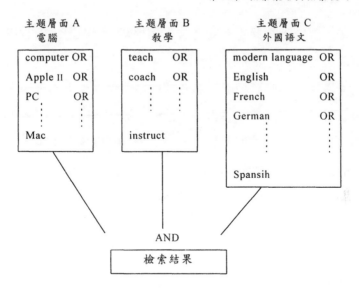

圖 6-2：分區組合檢索之檢索實例

引用文獻滾雪球法，他們先找到一篇或數篇相關文章，再過濾這些相關文章的引用書目，逐步增加其相關文章的筆數。嚴格說起來，上述尋找資料的方式只是引用文獻滾雪球法的一種，真正在線上利用此法時，大部分是以相關文章的關鍵字或敘述語繼續檢索，而非利用引用文獻的方式將雪球滾大。因為除了 Arts & Humanities Search（其紙本為 Art and Humanities Citation Index）、Social SciSearch（其紙本為 Social Science Citation Index）及 SciSearch（其紙本為 Science Citation Index）三資料庫外，其他資料庫多不提供引用文獻檢索之服務。

　　一般而言，引用文獻滾雪球法是由精確率（ 100%之精確率，因為所掌握的數篇文章必為相關）反向追求回收率。
也就是說，一定要先掌握數篇相關文獻才有可能進行引用文
獻滾雪球法。至於相關文獻（即所謂「珍珠」）的來源，理
想狀態是由資訊需求者提供，這也就是線上檢索申請表中常
會請讀者填寫已掌握之相關文獻的原因。根據資訊需求者提
供的相關文獻，檢索者可以針對這些書目進行已知書目檢索
（known item search），當找到相關書目後，檢索者可從敘
述語和識別語等控制語彙欄位及題名和摘要等自然語言欄
位中找尋相關詞彙，再將其輸入資料庫中進行檢索，直到資
訊需求者對相關文章篇數感到滿意或是無法找到新的相關
詞彙為止。應用引用文獻滾雪球法時，在不同階段常會找到
相同的文章，為節省重複列印所花費的時間和金錢，因此建
議檢索者，最好於每次列印前，都先以" NOT "指令刪除
前已列印之資料。至於在資訊需求者無法提供相關文章（珍
珠）的情況下，檢索者就必須先上線尋找數篇相關文章作為
珍珠，然後利用相同的方法逐步增加相關文章的篇數。

　　引用文獻滾雪球法通常必須進行多次檢索，才能找到足
夠的相關文章。因此在每次檢索之間，最好都能離線詳細檢
視檢索結果並挑選所需之檢索詞彙，否則常會因為線上顯示
速度過快而無法完全掌握所有相關資訊。但應該注意的是，
為了成功地刪除前面已檢索出之重複資料，就必須保留其檢
索組號碼，因此必須以" logoff hold "的指令離線，在半小
時內重新連線，或是使用儲存檢索策略的指令，在檢索進行

前先執行前段部分之檢索策略，才能確定除去所有重複資
料。

　　最後以一檢索實例說明引用文獻滾雪球法，主題是有關
黑人家庭結構的式微。由於資訊需求者並未提供相關文章，
因此檢索者的首要工作為尋找「珍珠」（數篇可直接利用之
相關文章）。由於必須尋找珍珠，所以利用分區組合檢索法
先行分解題目的概念，大致上找出「式微」、「黑人」和「家
庭」三個主題層面，但「式微」概念就像「效果」或「影響」
一樣，不是合適的檢索詞彙，因而決定僅輸入「黑人」和「家
庭」二個概念。將此二概念所轉換成的詞彙在 Magazine
Database 中進行檢索，所得到的文章很多是有關「天才老爹」
（ Cosby Show ）的影評或影響，不但看不出黑人家庭結構
的衰微，反倒顯現出一種理想的黑人家庭結構。表 6-2 顯示
此檢索問題的分區組合模式，正因為無法找到相關文章，因
此決定將「式微」概念以自然語言的方式輸入，結果找到不
少相關文章，仔細閱讀其敘述語欄位，發現所應使用的正確
檢索詞彙應該是「單親家庭」（ single parent ）、「未婚媽
媽」（ unmarried mother ）、「少女懷孕」（ teenager preganacy ）
及「黑人家庭」（ Afro-American families ）等。這是一個相
當不錯且特殊的檢索實例，其最大特色在原始的三個概念最
後完全融合成一個概念，黑人家庭之所以會式微就是因為單
親家庭或未婚媽媽等原因直接造成。當然，資訊需求者若想
繼續增加相關文章筆數，可在題名或摘要等欄位中尋找更多

相關的自然語言詞彙，進行更進一步的檢索。

表6-2：分區組合檢索之主題分析——以「黑人家庭結構之式微」為例

主題層面 A	主題層面 B	主題層面 C
式微	家庭	黑人
decline	family	black
diminish	families	blacks
shrink		negro
		black Americans
		Afro-Americans

第二節　其他重要檢索策略

　　除分區組合檢索和引用文獻滾雪球法外，其他比較重要的檢索策略包括簡易檢索（ briefsearch ）、主題層面連續檢索（ successive facet strategies ）、主題層面配對檢索（ pairwise facets strategies ）及多重資料庫檢索（在 Dialog 系統中稱之爲一次檢索， onesearch ）等。現將上面所提到的檢索策略依序介紹，並在可能的範圍內以實例說明之。

　　首先討論簡易檢索。事實上，簡易檢索才是真正最常見的檢索，而分區組合檢索則是在中介檢索中最爲常見，因爲早期線上檢索很少由資訊需求者直接上線，因此分區組合檢索的確是最常見的檢索策略。但目前愈來愈多的資訊需求者直接使用大型線上資料庫，再加上光碟資料庫之推波助瀾，簡易檢索的比率也逐漸提高。雖說簡易檢索的數目還在成長中，不過這並不表示簡易檢索是一種高品質的檢索。一般而言，簡易檢索是指非常簡單的檢索，通常只是使用簡單的布林邏輯運算元結合詞彙，和系統之間的互動很少（甚至沒有）。由於其輸入詞彙不多，所以是一種快速檢索，同時檢索到的文章不多，是屬於低回收率之檢索。很多未受過圖書館學訓練的終端使用者在檢索光碟資料庫時，用的就是簡易檢索的方式，但通常他們對自己的檢索結果感到相當滿意，因為並非每個讀者都需要找出所有相關文獻，他們經常僅想找出幾篇相關文章閱讀，其資訊需求即告滿足。

　　平心而論，簡易檢索雖然有其缺點，但絕非一無是處，在某些場合中，如果應用得當，它還可能是最合適的檢索策略。比如說檢索者只想閱讀幾篇相關文章，過多的相關文章對其並無幫助，當然不必浪費時間精力去找尋。此外，當檢索者在執行已知書目檢索時，簡易檢索也是相當好的檢索策略，因為已知書目檢索的目的只為找出一篇或數篇指定文章，簡單快速的方法自然成為最佳策略。另外，如果檢索概念相當專指（ specific ），如 “ conceptual tempo ”，那簡易檢索也是一種相當好的選擇。

　　其次討論主題層面連續檢索，在討論此種檢索策略時，必須先釐清一些概念。所謂主題層面連續檢索，是在必要時才進行連續檢索，但理想狀況是連續檢索的次數愈少愈好。一般而言，主題層面連續檢索和分區組合檢索一樣，必須先分析檢索問題的主題層面，但分區組合檢索通常會使用所有的主題層面，而主題層面連續檢索則設法動用最少的主題層面。事實上，當檢索者要求高回收率時，刪除一主題層面是增加回收率相當好的策略，因此，如果能在一開始即刪除次要之主題層面（如果其並未造成文章篇數偏高的現象），也不失為一良好之檢索策略。

　　主題層面連續檢索有數個不同的英文名稱，其中最常見的是 " successive facets strategy "，其他名稱還包括 " fewest postings first "（最少筆數優先法）及 " most specific concept first "（最專指概念優先法）及 " successive fractions "（非主題層面連續檢索法）等。（註 14 ）由最少筆數優先法及最專指概念優先法之名稱，即可得知主題層面連續檢索法的應用方式。一般而言，主題層面連續檢索法在決定檢索問題的主題層面之後，必須確認各主題層面的優先順序，而決定優先順序的原則在於概念的專指程度或其產生之資料筆數多寡。在將最專指概念或是可能產生最少資料的概念輸入系統後，如果產生的資料筆數過多，就必須輸入其他次要概念與之結合，直到檢索者認為檢索筆數可以接受為止。圖 6-3 顯示主題層面連續檢索之操作模式。圖中只有第一個主題層面一定要輸入檢索系統，第 2 個和第 3 個主題層面都可能只是備而不用。至於最後檢索結果的集合，則視其加入幾個主題層面而定：如果只使用一個主題層面，將得到檢索結果 1 ；如果使用二個主題層面，會得到檢索結果 2 ；如果三個主題層面全部使用，則會得到檢索結果 3 。顯而易見，檢索結果 3 所得之資料筆數最少，而檢索結果 1 之資料筆數最多。

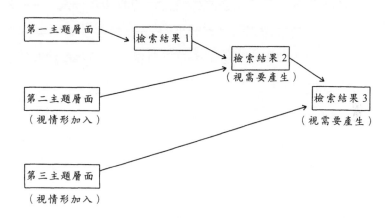

圖 6-3 ：主題層面連續檢索策略模式

資料來源： Stephen P. Harter, Online Information Retrieval:
Concepts, Principles, and Techniques (New York:
Academic Press, 1986), p.177.

主題層面連續檢索是一應用層面相當廣泛的檢索策略，它尤其適合在下列 6 種情況下使用：（註 15 ）

1.當所有主題層面以布林運算元結合，很可能產生零筆資料時；

2.當檢索問題中有一至二個主題層面涵義相當模糊時；

3.當檢索問題具備其他非主題之檢索條件時，例如資料類型、語文或出版年代等，可將此非主題檢索條件視爲第一檢索概念；

4.當檢索者寧願忍受誤引而不願失去相關文章時；

5.當加入其他主題層面所花費的時間和金錢，可能會超越直接列印檢索結果時；

6.當相關文獻過少，檢索者願意檢視一些相關度較低的文章時。

Harter 在其線上檢索之標準教科書中，舉了二個相當好的主題層面連續檢索的實例。在第一個檢索實例中，檢索者想尋找有關四健會（ 4-H clubs ）會員及活動方面之資訊。（註 16 ）由於「會員」和「活動」過於一般化，因此並非相當好的檢索詞彙。事實上，任何探討四健會的文章，或多或少會包含一些會員或活動的資訊，再加上四健會概念本身的專指性，因此決定使用主題層面連續檢索，並優先將四健會輸入。除非檢索者認爲輸入四健會所產生的資料筆數過多，否則應可在第一個主題層面便結束此次檢索。第二個例子是檢索有關「用 Suzuki 法學習小提琴之小孩其生理、心理和智能方面的特色」。（註 17 ）一般而言，此檢索問題之主題層面相當複雜，依其專指程度或預期資料筆數排出之主題層面優先順序依序爲：(1)Suzuki 法，(2)小提琴，(3)小孩，(4)生理、心理、及智能等。當輸入 Suzuki 一詞時，很有可能產生有關 Suzuki 汽車或機車方面的誤引，但若加上第 2 個主題層面小提琴時，所找到文章之精確性就相當高。事實上，會用 Suzuki 法學習小提琴的大多是小孩，而且當文章探討應用 Suzuki 法學習小提琴時,難免述及學習者之生理、心理及智能等方面的影響。換句話說,「小孩」及「生理、心理、及智能」二概念在此檢索題目中是屬於隱含性概念(implied concepts),其可包含於問題之其他概念中。因此,上述檢索問題在輸入第一個主題層面 Suzuki 時,可能會產生過多資料筆數,但在輸入第二個主題層面「小提琴」縮小檢索範圍後,除非檢索者認為所得資料筆數仍然過多,否則應可在第二個主題層面結束檢索。

至於主題層面配對檢索,它和分區組合檢索及主題層面連續檢索一樣,都必須先確定檢索問題所包含之主題層面。在決定主題層面後,分區組合檢索是將所有的主題層面依其布林邏輯關係結合在一起,主題層面連續檢索則優先輸入最專指概念或是可能產生最少資料筆數之主題層面,而主題層面配對檢索則是先將主題層面兩兩配對並取其交集。換句話說,分區組合檢索通常是取所有主題層面的交集,而主題層面配對檢索則是取任意二主題層面的交集而後聯集之。此二種檢索策略可以圖 6-4 清楚說明。若以圖形表示主題層面配對檢索,圖 6-5 假設檢索題目可分為三個主題層面,在將主題層面兩兩配對後,總共產生三組交集,其最後檢索結果則為此三組交集集合所產生之聯集。

一般而言,主題層面配對檢索通常應用在所有主題層面都同樣重要時、主題層面之專指性或模糊性相差不大時、或是將所有主題層面結合可能導致零筆資料時。舉例而言,假

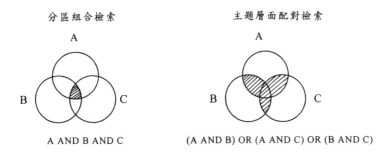

圖 6-4 ：分區組合檢索與主題層面配對檢索之比較圖

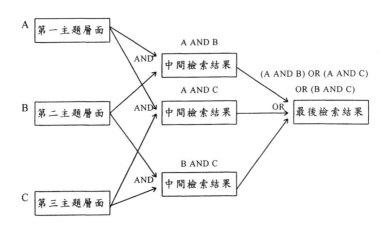

圖 6-5 ：主題層面配對檢索策略模式

資料來源： Stephen P. Harter, Online Information Retrieval: Concepts, Principles, and Techniques (New York: Academic Press, 1986), p.181.

設讀者想找尋有關比較自然語言、控制語彙和索引語言三者之文獻，此檢索問題可以分解為自然語言、控制語彙及索引語言三個主題層面，由於三主題層面同等重要且同樣專指，若將三者加以交集又可能獲得過少資料,因此最適合的檢索策略為主題層面配對檢索。此外,當檢索問題的主題層面為四個或四個以上時,兩兩配對可能會導致過多集合而使檢索者產生混淆的感覺,此時可減少主題層面結合的次數,以 3 個或 4 個主題層面為執行交集的基本單位。

最後要討論的檢索策略為多重資料庫檢索。首先必須說明的是,早期 Dialog 資料庫並沒有提供多重資料庫檢索,檢索者若想檢索二個或二個以上的資料庫,惟一的方式是以同樣的檢索策略逐一檢索相關資料庫,因此 Harter 在其書中曾提及多重簡易檢索(multiple briefsearch)之檢索策略。(註 18)由於目前在 Dialog 系統中進行多重資料庫檢索相當方便,因此多重簡易檢索已經沒有存在的價值。事實上,多重資料庫檢索不需要任何解釋,從字面上即可得知是同時檢索二個或二個以上資料庫之檢索技巧。在 Dialog 系統中,一次可檢索 60 個資料庫之多(註 19),一般讀者幾乎不可能同時使用如此多之資料庫。由於資料庫的收錄範圍時有重複,因此在使用多重資料庫檢索時,最好能使用除去重複資料的指令,以減少列印重複資料所損失的時間和金錢。

嚴格說起來,多重資料庫檢索並不能算是一種檢索策略,檢索者可將前面討論過的 5 種檢索策略放心大膽地應用在多重資料庫檢索中。但由於一次檢索多個資料庫,每個資料庫所收錄的欄位及使用的控制語彙都不盡相同,因而形成同時檢索多重資料庫上極大的困難。因此,在進行多重資料

庫檢索時，至少要注意下列事項：（註 20）

1.同樣的檢索欄位，在不同資料庫中可能有不同的索引方式，在 A 資料庫中為單字索引法之欄位，在 B 資料庫中卻可能是片語索引法。

2.每個資料庫可能使用不同的索引典，在 A 資料庫中為正確的敘述語，在 B 資料庫中卻可能獲得零筆資料。

3.英美不同寫法的字在多重資料庫中更容易產生問題。

4.同義詞和同形異義詞在多重資料庫檢索會產生更多問題，檢索者必須具備更強的語文能力才能網羅所有的同義詞和類同義詞，真正提高檢索之回收率。

5.每個資料庫所收錄的欄位不盡相同，當其中有資料庫未收錄所指定之檢索欄位時，檢索者所下之限制欄位檢索指令，會造成僅在所開啟之部分資料庫中檢索之事實。

6.每個資料庫之預設值不盡相同，在此種狀況下，可統一設定新的預設值，使所有檢索之資料庫都能有一致之預設值。

由於上述問題的存在，因此使用者在做多重資料庫檢索時（尤其在使用附加欄位檢索的情況下），可選擇較為普遍的欄位進行檢索。同時，在檢索和主題有關之欄位時，檢索者最好使用自然語言檢索，因為和主題有關的欄位大多採用單字索引法（或是單字和片語混合索引法，如敘述語和識別語等），檢索者可自行進行各種組合，藉此避免控制語彙或是片語索引法在跨資料庫檢索時所產生的問題。

在結束檢索策略的討論前，尚須探討「隱含性概念」和資料庫主題之間的關係。本節曾經提及隱含性概念和檢索主題間的關係，例如前文所舉之「用 Suzuki 法學小提琴之小孩其生理、心理和智能上之特色」等例。一般而言，資料庫都有其固定的學科範圍，例如 ERIC 資料庫所收錄之資料大多與教育有關，因此在 ERIC 資料庫中輸入「教育」概念就不具太大意義，因為「教育」已成為此資料庫中之隱含性概念。同理，在 ENVIROLINE 資料庫中就不適宜以「環境」一詞進行檢索。最後僅以 Harter 所舉之「微波爐烹煮食物對健康之影響」一例，加強說明隱含性概念和資料庫主題之間的關係。（註 21 ）首先依照分區組合檢索策略，將檢索問題分解為「微波爐」、「食物」和「健康」三主題層面。假設檢索者在一般性資料庫(如 Magazine Index)中檢索相關資訊，因為不存在隱含性概念，所以三個主題都必須輸入系統。如果他在醫學方面的資料庫（如 Medline ）中進行檢索，「健康」即為隱含性概念，檢索者只須輸入「微波爐」和「食物」二概念即可。倘若檢索者檢索和食品有關之資料庫（如 Food Science and Technology Abstracts ），那「食物」即為隱含性概念，檢索者只要輸入「健康」和「微波爐」二概念即可獲取所需之相關文獻。

第三節 檢索技巧

　　有別於檢索策略之通盤規劃，檢索技巧是指為完成某種特定目的所採取的行動，也就是說，檢索策略可視為面的規劃，而檢索技巧則為線的規劃。在實際檢索中，線上檢索經常被視為一連串人機互動之解決問題的過程，由於其互動的本質、檢索問題的千變萬化、以及檢索者之個人差異，即使是事前規劃十分完善的檢索，上線時還是難免碰到一些意想不到的狀況，因此許多線上檢索的專論都提出共同的結論：研究者雖然發現很多規則或技巧可用來解決上線後碰到的各種狀況，但卻沒有任何一種技巧可以一成不變地應用在同一特殊狀況中；換句話說，檢索技巧只能提供一般性的指引，如何成功適當地選擇，實有賴檢索者經驗的累積及臨場應變能力的培養。正因為強調人機互動，目前研究檢索技巧的學者相當多，本書精心挑選 Harter ， Bates 和 Fidel 三人所整理出之檢索技巧類表，提供作為問題情境下之即時參考指南。（註 22 ）

　　首先探討 Harter 在 1986 年所提出之檢索技巧類表。在其線上檢索教科書中，他將檢索技巧分為五大類，其中一類是屬於一般性的檢索技巧，也就是和指令語言及資料庫結構有關之檢索技巧，其他四類則屬於在線上遭遇非預期情境時所能用來解決困境的檢索技巧，包括檢索所得資料筆數過多時（通常指誤引過多時）、檢索所得資料筆數過少時（包括零筆資料）、以及檢索者想增加檢索之回收率及精確率時之技巧。現依上述分類將其各別檢索技巧詳細說明如下：（註23）

（一）和指令及資料庫結構有關之檢索技巧：

　1.確知系統使用之停字。

　2.確知系統預設之排列順序。

　3.確知基本索引檔所包含之欄位。

　4.確知所欲檢索欄位之索引法（單字索引法或片語索引法）。

　5.確知任何零筆資料發生的原因。

（二）當檢索所得資料筆數過多時（通常指誤引過多時）：

　1.是否使用正確之資料庫進行檢索？

　2.是否過分簡化問題？

　3.是否需要重新釐清檢索概念？

　4.是否使用正確之布林邏輯運算元？

　5.是否使用過分含混或一般性之名詞？

　6.是否應考慮使用控制語彙？

　7.是否將相近運算元限制過鬆？

　8.是否將切截應用過鬆？

（三）當檢索所得資料筆數過少時（包括零筆資料）：

1.是否使用正確之資料庫進行檢索？

2.是否將問題過分複雜化？

3.是否真有文獻探討該檢索主題？

4.是否每個概念都使用足夠的檢索詞彙來表達？

5.是否將相近運算元限制過緊？

6.是否使用正確的布林邏輯運算元？

7.是否有語法或拼字上的錯誤？

8.是否該改用自然語言進行檢索？

9.是否考慮使用切截？

（四）當檢索者想增加回收率時：

1.增加同義詞和類同義詞的數目。

2.使用較為廣義的檢索詞彙。

3.以自然語言檢索代替控制語彙檢索。

4.檢索其他主題欄位。

5.刪除布林邏輯運算元 " AND " 及 " NOT " 。

6.增加切截的範圍。

7.使用限制較鬆的相近運算元。

8.刪除一些非主題之檢索限制，如年代限制及資料型態限制等。

9.刪除一主題層面。

（五）當檢索者想增加精確率時：

1.刪除部分類同義詞或是詞意含混的檢索詞彙。

2.使用專指性較高的詞彙進行檢索。

3.當有適當的控制詞彙時，盡量以控制詞彙代替自然語言。

4.使用欄位之優先順序：（1）敘述語，（2）識別語，（3）題名，（4）摘要，（5）全文。

5.增加一主題層面。

6.使用" NOT "除去不相關文章。

7.減弱切截的範圍。

8.加上非主題之檢索限制，如年代限制及資料型態限制等。

　　Bates 在其討論檢索技巧的文章中，總共歸納出 29 種檢索技巧。他將此 29 種檢索技巧歸納爲四大類，其中能讓檢索更上軌道且更具效益的技巧，稱之爲監督用之檢索技巧（ monitoring tactics ）；能夠簡化檢索之檔案結構技巧，稱之爲檔案結構技巧（ file structure tactics ）；至於能夠應用在重新設計檢索敘述上之技巧，稱之爲發展檢索敘述之技巧（ search formulation tactics)；而能幫助選擇及修改檢索詞彙之技巧，則稱之爲詞彙選擇技巧（ term tactics ）。表 6-3 將上述 4 類檢索技巧及其附屬技巧分別說明如下。（註 24 ）

　　Fidel 則認爲移動（ moves ）或檢索技巧通常是爲解決資料筆數過多（情境 1 ）、資料筆數過少（情境 2 ）或是找到不合檢索目的之資料（情境 3 ）等三種問題情境所採取的行動。她延續過去研究之所得，將檢索移動分爲操作型移動（ operational moves ）及概念型移動（ conceptual moves ）

表 6-3：Bates 之檢索技巧類表

1.監督用之檢索技巧

  1.1 核對法：比較檢索主題和讀者原始問題之主題是否相同

  1.2 衡量法：衡量下一個檢索敘述之成本效益，以決定是否採取此步驟

  1.3 模式法：視察所採取的檢索模式是否能極大化檢索效益

  1.4 修正法：修正檢索敘述中的拼字和其他錯誤

  1.5 記錄法：記錄檢索者的檢索過程

2.檔案結構技巧

  2.1 參考法：參考他人做過的類似檢索

  2.2 選擇法：將複雜之檢索問題分為數個小問題，每次只解決一個問題

  2.3 調查法：設法在決策前了解所有可能的選擇步驟

  2.4 切除法：當有數種方法可供選擇時，優先選擇可刪除最多文獻的步驟

  2.5 衍生法：非以其主要目的使用此資料庫

  2.6 附帶法：用間接方法取得所需資訊

  2.7 比對法：逐一尋找所需資料

3.發展檢索敘述之技巧

  3.1 專指法：以概念之專指程度選擇檢索詞彙

  3.2 詳盡法：設法涵蓋此檢索主題中之所有概念

  3.3 縮小法：縮短檢索時間，即儘量使用唾手可得之資訊

  3.4 平行法：代表同一概念之檢索詞彙應力求完整

  3.5 定點法：儘量選擇能完全描述此主題之檢索詞彙

  3.6 區域法：儘管有可能遺漏相關文章，還是儘量以"NOT"去掉不需要之文獻

4.詞彙選擇技巧

  4.1 廣義法：使用廣義之詞彙或概念

  4.2 狹義法：使用狹義之詞彙或概念

  4.3 相關法：使用相關詞彙或概念

表 6-3 ： Bates 之檢索技巧類表（續一）

4.4 臨近法：使用字母順序類似或類緣類似的詞彙

4.5 追蹤法：從現有文章中找出可利用之詞彙再次進行檢索

4.6 變化法：利用各種不同方法變化檢索詞彙

4.7 限制法：使用各種不同的限制法，如字首限制和字尾限制等

4.8 排列法：將檢索詞彙顛倒秩序或重新排列，以檢索到更多相關
　　　　　　詞彙

4.9 反義法：設法檢索該詞彙之反義詞

4.10 同詞法一：同時檢索同一詞彙之不同拼法（如英美不同拼法等）

4.11 同詞法二：當該字彙有無空格皆為同一詞彙時（如 on line 或
　　　　　　　online ），必須同時輸入系統

資料來源： Marcia J. Bates, "Information Search Tactics,"
　　　　　　Journal of the American Society for Information
　　　　　　Science 30 (July 1979), p208.

二大類，配合上述三種情境，總共找出 18 種操作型移動技巧及 12 種概念型移動技巧。一般而言，只有概念型移動者會在檢索時改變檢索敘述的意義，而操作型移動者通常傾向利用系統本身具備之功能特性來修改檢索。因此， Fidel 將解決上述第一種問題情境（找到資料筆數過多）所使用之檢索技巧稱之為縮小檢索集合之移動，解決第二種情境（找到資料筆數過少）之檢索技巧則被稱之為擴大檢索集合之移動，另外增加一類可同時增加回收率和精確率之移動。（註25）表 6-4 將上述三種移動依其隸屬於概念型或操作型移動分別說明。

表 6-4：Fidel 之檢索技巧類表

縮 小 檢 索 集 合 之 移 動			
操作型移動		概念型移動	
衡量法一	限制檢索詞彙出現於主要敘述語中	交集法一	將檢索所得集合與其他概念結合
衡量法二	將自然語言與較廣義之敘述語結合	交集法二	將所得結果與職分指標（role indicator）結合
衡量法三	將自然語言置於預先決定之欄位中進行檢索	狹義法一	將敘述語和專指性很高的自然語言結合
衡量法四	將自然語言之限制縮緊	狹義法二	將敘述語與職分指標互相結合
衡量法五	限制檢索所得之資料型態		
否定法	將不需要的概念以"NOT"運算元刪除		
限制法一	限制檢索所得資料之語文		
限制法二	限制檢索所得資料之年代		
限制法三	限制檢索詞彙出現於資料庫之特定欄位中		
限制法四	限制檢索詞彙出現於題名中		
刪除法一	僅提供部分檢索所得		
擴 大 檢 索 集 合 之 移 動			
操作型移動		概念型移動	
增加法一	增加同義詞的數目	擴大法一	使用較廣義之敘述語
增加法二	將敘述語以自然語言方式輸入檢索	擴大法二	以更多詞彙擴大主題層面的意義
增加法三	以相關文獻中之敘述語再次進行檢索	擴大法三	輸入具有相同職分指標之敘述語

表 6-4 ： Fidel 之檢索技巧類表（續一）

增加法四	加入一些可能產生大量資料筆數之相關檢索詞彙	擴大法四	只有在確知的情況下，方能使用職分指標
包含法一	將一敘述語之所有狹義詞輸入檢索	擴大法五	以較廣義的概念來代替原先專指的概念
取消法一	取消一些先前所下之限制	排除法一	刪除與資料庫主題有關之隱含性概念，如 ERIC 資料庫中之教育概念等
同時增加回收率和精確率之移動			
操作型移動		概念型移動	
修飾法一	尋找較佳之敘述語	探測法一	探測相關文獻之所有索引詞彙
		探測法二	根據資料庫的特色選擇最適合的詞彙進行檢索

資料來源： Raya Fidel, "Moves in Online Searching,"
Online 9 (February 1985), pp.64-65.

　　事實上， Harter ， Bates 和 Fidel 三人所整理出之檢索技巧類表各有特色，其中以 Bates 之檢索技巧最為特殊， Harter 和 Fidel 之檢索技巧則較為類似，但其間差異仍大。在上述三種檢索技巧類表中，Harter 所提出之檢索技巧最容易應用在實際檢索中。總之，檢索者都應在上線前仔細規劃檢索策略，以減少線上碰到問題情境的機會，但當真正碰到問題情境時，檢索者必須有能力從諸多檢索技巧中選出最合適的技巧來應付突發或非預期的狀況，才有可能完成高效益之檢索。

附 註

註 1:R. J. Hartley and others, Online Searching: Principles & Practice (London: Bowekr-Saur, 1990), pp.153-173.

註 2:Miranda Lee Pao, Concepts of Information Retrieval (Englewood, Colo.: Libraries Unlimited, 1989), pp.175-195.

註 3:Roger C. Palmer, Online Reference and Information Retrieval (Littleton, Colo.: Libraries Unlimited, 1987), pp.74-94.

註 4:Marcia J. Bates, "Information Search Tactics," Journal of the American Society for Information Science 30 (July 1979), pp.205-214.

註 5:Ibid., p.206.

註 6:Ibid., pp.206-207.

註 7:Stephen P. Harter, Online Information Retrieval: Concepts, Principles, and Techniques (New York: Academic Press, 1986), pp.194-202.

註 8:Raya Fidel, "Moves in Online Searching," Online 9 (February 1985), pp.61-74.

註 9:Bates, op. cit., pp.205-214.

註 10:Harter, op. cit., pp.171-176.

註 11:Palmer, op. cit., pp.74-82.

註 12:Harter, op. cit., p.172.

註 13:Ibid., p.174.

註 14:Ibid., p.177.

註 15:參考 Harter 在 1986 年所著之書及筆者線上檢索所得經驗。 Ibid., p.180.

註 16:Ibid., pp.177-178.

註 17:Ibid., pp.178-179.

註 18:Ibid., pp.182-183.

註 19:DIALOG Pocket Guide 1992/1993 (Palo Alto, CA.: Dialog Information Services, 1992), p.37.

註 20:參考 Harter 在 1986 年所著之書和筆者線上檢索所得經驗。

Harter, op. cit., pp.193-194.

註 21:Ibid., p.185.

註 22:Ibid., pp.194-102.

Bates, op. cit., pp.205-214.

Fidel, op. cit., pp.61-74.

註 23:Harter, op. cit., pp.195-200.

註 24:Bates, op. cit., pp.205-214.

註 25:Fidel, p.61-74.

第七章 檢索類型

　　前章所提及之檢索策略和檢索技巧，是屬於一般性的準則和指引，其應用的情形往往視檢索主題和線上狀況而定。本章將以完全不同的角度探討檢索策略和技巧，不再刻意區分檢索策略和技巧間的不同，僅依檢索類型的不同採取不同的檢索方式。一般而言，檢索者所需資料量的多寡對檢索策略及技巧有決定性的影響，因此可依其所需資料量之大小將檢索分為三類：當檢索者只想找尋一篇或數篇相關資料時，此種檢索稱之為「精確檢索」（ precision search ）；若檢索者想找尋一些相關資料時，此種檢索可命名為「一些資料檢索」（ some search ）；而當檢索者想找出資料庫中所有相關文獻時，此種檢索通稱為「回收檢索」（ recall search ）。（註 1）此外，尚有二種非以資料篇數分類的檢索類型，分別為「成本效益檢索」（ cost-effective search ）及「全文檢索」（ full text search ），其中成本效益檢索是當檢索者以成本效益來決定檢索停止點時所產生之檢索類型。全文檢索則因其收錄的資料量特別大，因此檢索方式和一般檢索不同而被獨立成類。（註 2）本章擬針對上述五種不同的檢索類型，詳加介紹其檢索方式與技巧，以提供前章以外另一種檢

索策略與技巧上的選擇。（註 3）

第一節　精確檢索

　　檢索者在進行精確檢索時，通常只是在找尋一篇或數篇文章，其中「已知書目檢索」（known item search）就是一種最常見的精確檢索類型。在大部分探討目錄使用的文章中，都將目錄使用（包含卡片目錄和線上公用目錄）分為二大類型：已知書目檢索和主題檢索。（註 4）事實上，已知書目檢索在目錄使用中佔相當重要的比例，研究結果顯示73%的讀者認為他們是在進行已知書目檢索，但其中只有56%的讀者真正在做已知書目檢索。（註 5）雖說線上公用目錄崛起之後，主題檢索的數量成長迅速，不過已知書目檢索仍有其不可磨滅的地位。一般而言，讀者在進行精確檢索或已知書目檢索時，都會擁有所欲尋找資料的部分資訊，他們比較常提供的資訊包括作者、題名、期刊名、出版商、出版年代及主題等，有時也可能提供索書號、作者服務機構或國際標準書號（International Standard Book Number，ISBN）等較為特殊的資訊。

　　在進行精確檢索時，第一個步驟是整理讀者提供之資訊，尤其希望能找到有關作者、題名、期刊名、出版商、出版年代及主題等項目之資訊。一般而言，讀者經常無意識地提供不完整、不確定、甚至不正確的資訊，而處理不完整或不確定資訊的最好方法就是不考慮它們。也就是說，如果讀者只知道作者的姓，那就只利用姓來檢索；如果讀者只確定題名中的 2 個字，最好僅使用這二個已確定的字進行題名檢索。

　　整理讀者所提供之資訊後，第二個步驟是將這些資訊作更進一步的分析，分析的原則是根據該資訊項目可能產生的資料筆數，通常至少得保留三個資訊項目（也可以保留更多），同時將這些資訊項目依其可能產生之資料筆數由少至多排列。一般而言，同樣的字詞可能在某些欄位中顯得相當特殊，但在某些欄位中卻相當大眾化，例如「牛」字在主題或題名中可能還算普遍，但卻不是一個常見的姓，因此這個字在進行作者檢索時會有較高的優先順序，而在主題或題名檢索中的優先順序就比較低。不過在一般狀況下，一些較常見的資訊項目（也可稱之為檢索欄位），其檢索之優先順序通常為：題名（尤其是讀者確實掌握題名中每一個字時）、作者、期刊名、主題（根據其概念多寡及專指性而變化）、年代及出版商。

　　第三個步驟是根據步驟二所選擇的資訊項目及其優先順序發展檢索策略。由於適合各個資訊項目的檢索策略差異甚大，因此本節將針對作者、題名、期刊名稱、出版年代及主題等項目分別進行討論。首先探討利用作者資訊項目進行檢索時應注意之事項。由於同一作者的名字有多種不同的寫法，一般較常見的歐美人士名字書寫方式包括：姓及所有名字之第一個字、全名、姓及名之第一字、或是僅將中名以縮寫表示等方式。以 F. W. Lancaster（姓及所有名字之第一個字）為例，他的名字的寫法包括 Frederick Wilfrid Lancaster（全名）、Frederick W. Lancaster（僅中名以縮寫表示）、F. Lancaster（姓及名之第一字）等。如果碰到女性作者，進行作者檢索時可能產生更大的問題，因為歐美婦女婚後習慣改夫姓，因此在檢索上顯得更為困難。在進行精確檢索時，如果不能完全掌握作者名字的變化情形，就可能找不到所需的那篇文章。正因如此，解決作者一人多名的最好方法是使用 " expand " 指令瀏覽作者檔，再選擇該作者所有可能之名字寫法。如果此位作者是已婚女性，應該同時檢索其娘家的姓。在使用 " expand " 指令時，其標準格式為 " expand au= 姓, 名之第一字?"（例如 " expand au=Lancaster, F?"）。此外，檢索者可直接用切截控制作者名字的變化，但可能會相對帶來很多誤引。通常在還有其他非作者之資訊項目可供結合的狀況下，可直接利用切截，因為其他概念會自動過濾不相關作者，且可省去輸入 " expand " 指令的功夫和選擇作者可能名字的時間。

至於題名資訊項目的使用，需特別注意讀者所提供的題名往往是不完整或不正確的，其字詞的順序經常有問題，有時讀者誤以為出現在題名中的字詞，事實上只是一些關鍵字。但不管如何，只有在假設讀者提供正確資訊的情況下，才有可能進行已知書目檢索。一般而言，題名檢索的標準格

式爲 " ss（字 1 and 字 2 and 字 3 ）/ti "，例如 " ss（ online and information and retrieval ）/ti "。也就是說，將讀者認爲在題名中出現的字以布林邏輯運算元 " AND " 連結起來，然後限制這些字都出現在題名中。通常使用 " AND " 之好處在於：當讀者對字詞的先後順序記憶錯誤時，還能找到讀者所需之書目，同時儘量配合使用切截，以減少因讀者記憶錯誤產生的困擾。在上述狀況下，如果不能找到該書目，可以考慮拿掉題名的限制，如此即使這些字出現在其他主題欄位中，還是可檢索出該篇文章。此外，如果讀者所提供的題名太長，可以選擇 3 個至 4 個最具代表性的字輸入系統即可，因爲所選擇的字數愈多，它們共同出現在同一題名的機率就愈爲降低，因此三至四個字通常就足以找出該篇文章。另外，如果讀者提供的題名爲翻譯題名，可以考慮以原始題名輸入系統進行檢索。

　　至於使用期刊名稱進行精確檢索時，必須特別注意刊名的不穩定性，因爲期刊常會改變其刊名，而且同一期刊可能會有數種不同的縮寫方式，再加上讀者很有可能將刊名記憶錯誤，而這些因素往往造成刊名檢索時最大的困擾。因應上述問題，可使用和作者檢索相同的方式，利用 " expand " 指令查詢刊名所屬之附加索引檔，然後再選擇該期刊曾經採用的所有刊名。由於刊名欄位在附加索引檔中很可能是以前組合索引方式儲存，因此在檢索時有時無法提供足夠的彈性。因此，若確定該資料庫中刊名是以後組合索引方式儲存，除了上述 " expand " 指令外，尚可利用切截、布林運算元、及限制較鬆之相近運算元進行檢索，如此即使讀者記憶錯誤，只要不是太離譜，都有可能檢索出該篇文章。

　　如果使用年代進行精確檢索，年代最好不是該讀者所提供的惟一資訊，否則很有可能花費大量時間尚無法找到該篇文章。由於大部分讀者對年代的記憶通常不可靠，雖說線上檢索系統從不要求讀者記憶月份，但年代還是出錯率最高的概念。在進行年代檢索時，通常假設讀者提供的年代是正確的，以 " py = 年代" （如 " py = 1995 " ）的格式輸入。如果因加入年代而無法找到所需資料，那就暫時不考慮年代概念或是加上該年代前後之年代。只要還有其他欄位的資訊存在，年代最好被視為次要概念。倘若碰到年代是惟一線索的狀況，最好的選擇是放棄檢索，否則只好將該年代所出版之文獻重頭讀到尾，才能確定該篇文章是否存在。

　　如果檢索者利用讀者所提供的主題資訊項目進行精確檢索，必須特別注意讀者所指的主題並不見得是該篇文章所探討的主題，它很可能只是文章中的某段文字，或是該主題之廣義概念或狹義概念。因此進行主題檢索時，通常不是利用敘述語或識別語欄位，而是使用關鍵字檢索，並假設此主題可能出現在紀錄中之任何欄位（通常還是以在基本索引檔中進行檢索最為普遍）。倘若無法找到該篇文章，可以嘗試使用其廣義詞或狹義詞進行檢索，但使用廣義詞時要特別小心，必須儘量避免使用過分廣義之廣義詞。若尚無法找到該篇文章，最好的方法是放棄主題檢索，改用其他資訊項目進行檢索。

最後探討的資訊欄位是出版商，由於同一出版商的名稱時有變化，再加上其出版的圖書眾多，因此並不是一個好的檢索點。也就是說，出版商最好和其他欄位結合檢索，萬一不幸其為讀者所能記得的惟一資訊時，最好的選擇是放棄檢索，否則只有將此出版商之所有出版品從頭讀到尾，才能確定該本書是否存在。

綜合上述六種資訊項目之檢索技巧，可發現由於讀者所提供資訊本身之不確定性和不完整性，經常需要利用" expand "或切截的指令來控制字詞的變化。通常使用切截較為省時，但其經常帶來一些誤引；而使用" expand "指令較為複雜費時，但其可以減少誤引的產生，因此檢索者可以斟酌情形使用之。同時，由於太多概念或欄位結合在一起，只要有任何地方出錯，就很可能產生零筆資料；再加上多個概念同時出現在同一筆紀錄的機率會隨著概念數目的增加而驟減，因此，結合三個概念或欄位，在已知書目檢索上已算是十分足夠。

另外提醒讀者注意的是，任何上線前準備的功夫，都會減低線上發生狀況的機會，同時也會讓精確檢索的結果產生較小的集合。雖說精確檢索通常意在單篇文章，但若嚴格要求最後檢索結果一定為一篇文章，往往會浪費更多的時間和金錢。一般而言，只要最後檢索結果的資料筆數是六筆或六筆以內，直接在線上印出後再過濾，可能比在線上修正檢索的經濟效益為高。

第二節　一些資料檢索

　　一些資料檢索，顧名思義，係指檢索者之檢索目的僅在找尋一些相關文章。一些資料檢索也是一種常見的檢索型態，大部分的學生在撰寫學期報告時，他們並不需要閱讀大量相關文獻，只要一些相關文章即能滿足其資訊需求。一般而言，可應用在一些資料檢索之檢索策略相當多，簡易檢索、分區組合檢索、主題層面連續檢索及引用文獻滾雪球法等方法都可加以利用。雖說讀者僅需要一些資料，但檢索者是否滿意檢索結果，往往是由這些資料的品質所決定。也就是說，一些資料應該是最相關的一些資料或是利用價值最高的一些資料，而非一些看似相關卻又無法真正利用的資料。

　　檢索者在進行一些資料檢索時，第一個步驟通常是使用分區組合之檢索策略，將檢索題目分解成數個概念，並決定這些概念間的布林邏輯關係，然後將分解所得的概念依其專指程度排列，在必要時優先輸入最專指的概念。事實上，在大部分的情況下，一些資料檢索會輸入檢索問題的所有概念（即應用分區組合檢索的概念），但在檢索主題適合使用主題層面連續檢索時，也會先行輸入最專指的概念。不過，最專指的概念並不表示檢索所得之資料筆數最少，有些非常專指的概念，由於研究者眾，所檢索出的資料筆數反而相當驚人。因此，在實際應用上，最少筆數優先法永遠比最專指概念優先法更具價值。

在確定概念及其專指性後，一些資料檢索通常是將這些概念以自然語言的方式輸入系統。一般而言，由於讀者只想在最短時間內取得一些相關資料，因此花費太多時間在索引典中尋找合適的控制語彙，往往不合成本效益的考量。為了完成一高品質之自然語言檢索，某些檢索技巧的應用就顯得特別重要，尤其是利用不同的同義詞充分表達同一概念、使用切截控制字詞的變化、以及應用相近運算元來減少誤引的機率等。同時，如果檢索者有特殊資訊要求（如年代、語文或資料類型等）時，必須將其轉換成合適的附加欄位加以檢索。但若此要求在該資料庫中過於普遍，例如在 ERIC 資料庫中找尋英文文件，那就沒有必要將此條件輸入系統。另外，由於使用自然語言檢索，因此檢索者必須了解：資料庫中紀錄的長度愈長，檢索到誤引的機率就愈高，所以必須儘量以合適的相近運算元來控制字詞的順序及距離。正因為快速掌握相關資訊是一些資料檢索之精神所在，因而必須將檢索敘述以最有效的方式輸入系統，並且保留中間過程的檢索組號碼；也就是說，儘量以" select steps "來代替" select "指令，若須線上修正時，可選擇已建立之檢索組號碼直接進行修改。

事實上，和一些資料檢索最相關之檢索策略實為引用文獻滾雪球法。一般而言，由於一些資料檢索需要進行線上修正，所以檢索者必須熟知可擴大和縮小檢索範圍之檢索技巧。事實上，一些資料檢索是以先自然語言後控制語彙的方式進行檢索，因此在輸入適當的自然語言詞彙後，最重要的工作是找出相關文章的控制語彙，然後從其中挑選合適的控制語彙再次輸入系統，而此正是引用文獻滾雪球法的精神所在。比如說，檢索者欲找尋有關美國研究圖書館資訊網（ Research Libraries Information Network ， RLIN ）之資訊，當其輸入簡稱 " RLIN " 後，得知系統使用的詞彙是全稱 " Research Libraries Information Network " 時，就應該輸入全稱以代替簡稱。正因為檢索的方式由自然語言轉為控制語言，因此要特別注意一些較為複雜之敘述語在檢索系統上應使用的陳述格式。很多一般性或綜合性的資料庫，至今仍是以國會主題標目為索引典，對其中出現的破折號或逗號等標點符號，很多檢索者都不知所措。通常解決此問題的不二法門是使用相近運算元 " l " 示希望前後詞彙出現於同一敘述語中。

　　一些資料檢索是先強調回收率再強調精確率的檢索，這也正是其以自然語言輸入，再用控制語彙修正的原因。由於資訊需求者所需要的資料不多，甚至有時他們對檢索品質也不甚重視，因此在線上花費太多時間修飾檢索反倒成為資源上的浪費。一般而言，檢索者會以其認為最有效率的方式找到一些文章，而當檢索所得遠超過讀者要求的資料筆數時，通常若已進入控制語言階段，檢索者即不再修飾檢索，而依讀者所要求的資料筆數列印資料。也就是說，當在控制語彙階段檢索到 200 篇文章，如果讀者僅要求 5 篇文章，檢索者通常只提供前 5 篇文章，繼續花費時間修正檢索反而不合乎一些資料檢索的原則。但是，在可以利用資訊要求（infomation requirement）快速修正檢索結果的前提下（比如說將檢索所得限制在某期刊中或某些作者上），檢索者通常會據此（資訊要求）修飾檢索，此乃一些資料檢索較能接受之檢索修正方式。

第三節　回收檢索

回收檢索的目的是爲找到資料庫中所有相關文章，由於回收率和精確率成反比的關係，因此在做回收檢索時，無可避免地會附帶找到很多不相關文獻。事實上，讀者真正要求做回收檢索的機率並不多，即使是在撰寫博士論文或從事學術研究時，還是經常發現相關文章不被引用的情況。一般而言，在撰寫文章時，少了部分相關文章，可能不會產生太大影響，但在某些狀況下卻可能造成致命的傷害。舉例來說，進行專利檢索時，一定要絕對確定相關專利是否存在；在找尋法律判例時，也是非得確定相關判例是否存在；一些和醫療有關的檢索，由於人命關天，因此也可能成爲真正的回收檢索。

　　回收檢索有時被稱為完全回收檢索（ total recall search）。一般而言，回收檢索是最複雜的檢索類型，如果檢索者沒有相當的檢索經驗，他們就無法完成高品質之回收檢索。因此很多終端使用者的研究紛紛指出，沒有經驗的檢索者在接受相當短時間的訓練後，通常都有獨立完成線上檢索的能力，而且他們都對自己的檢索結果經常感到滿意。（註6）但上述樂觀現象大多發生於前述之簡單檢索中，如果比較終端使用者和資訊中介者其回收檢索之結果，將發現受過線上檢索訓練的資訊中介者，其回收率及精確率的表現較終端使用者為佳。（註7）正因為回收檢索的結果可凸顯出終端使用者和資訊中介者之間的差異，所以回收檢索之技巧應為圖書資訊學系學生必備之檢索知識。

　　當資料庫不大時，回收檢索最可靠的作法是逐一比對資料庫中每一筆資料，以找出所有相關文獻。但目前資料庫中之資料筆數動輒上十萬筆，不可能以人工比對的方式完成回收檢索，因此回收檢索的方法只有透過嚴密的層次檢索才能完成。一般而言，在進行回收檢索時，第一個步驟是應用分區組合檢索之策略，先行分析檢索問題之主題層面（包括資訊條件）及其概念之間的布林邏輯關係。在確定主題層面後，就可以根據層次檢索的概念由狹至廣，層層向外找尋相關文章。通常回收檢索可分為四個層次進行，第一個層次使用控制語言，第二個層次使用控制語言的狹義詞，第三個層次是進行自然語言檢索，而第四個層次則為相關詞檢索。（註

8）這四個層次環環相接（如圖 7-1），由核心的相關文章逐漸向邊緣的相關文章擴展。事實上，第一個檢索層次是以能完全代表此主題層面的控制語彙進行檢索，因此所找到的文章都是最相關的文章。第二個檢索層次使用控制語言的狹義詞，這就是一般通稱的包容性檢索（ generic search ）。一般而言，以該控制語彙之狹義詞所檢索到的文章皆應為相關文章，例如有讀者想找尋有關西歐風土民情之著作，則論及英國或蘇格蘭風土民情之書也應被列為相關文獻，因此在第一個層次可以「西歐」檢索，第二個層次則必須使用其狹義詞（仍為控制語彙型態），如英國、法國、及英格蘭等詞彙進行檢索。雖說精確率和回收率一向成反比的關係，但利用控制語彙的狹義詞進行檢索，卻可以同時提高回收率和精確率，造成其反比關係的例外狀況。第三個層次則是使用自然語言檢索，可以將上述二層次所使用之控制語彙全數轉為自然語言，藉以提高回收率。一般而言，以自然語言檢索找到的相關文獻，其相關性通常較以控制語言檢索所得之相關文獻為低，但有時由於概念本身的限制，以自然語言檢索反而較以控制語言檢索可找到更為相關的文獻，比如說在無法找到能完全代表該主題層面的控制詞彙時，或是控制詞彙過於廣義或老舊時，以自然語言進行檢索往往較為適合。在經過上述三檢索層次逐步增加回收率後，第四個層次則是利用相關詞彙繼續檢索。至於相關詞彙的來源，除了索引典外，檢索者可在相關文章之題名、敘述語、識別語及摘要中尋找，也就是引用文獻滾雪球策略的實際應用。同時，第四個層次的相關詞檢索應是先以控制語言進行，而後再以自然語言繼續擴大檢索範圍。

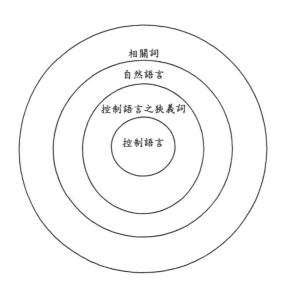

相關詞

自然語言

控制語言之狹義詞

控制語言

圖 7-1：回收檢索之檢索層次說明圖

資料來源： Marilyn Domas White 教授歷年授課講義

回收檢索和一些資料檢索有很大的不同。在進行回收檢索時，檢索者通常已做好心理準備並預備花費相當的上線時間，因此大部分的檢索者都會事前查詢合適的索引典，儘可能將所有有機會利用到的詞彙一一找出。在上線過程中，必須隨時注意線上顯示的相關詞彙（尤其是題名、敘述語及摘要等欄位），惟有找到所有的相關詞彙，才有可能找到所有相關文章。一般而言，回收檢索一般僅使用分區組合檢索和引用文獻滾雪球法二大策略，所以檢索者只要根據檢索層次逐步向外擴展，一定可以循序增加相關文章的數目，只不過文章的相關性可能愈來愈低。以圖 7-1 來看，通常愈靠近圓心部分的文章愈相關（稱之爲核心文章），而和圓心距離愈遠的文章則較可能爲邊緣相關的文章。

事實上，在進行層次檢索時，由於這些層次都是根據相同的主題概念發展得來，因此在各層次檢索間難免會找出一些重複的文章。爲節省重複列印所浪費的時間和金錢，因此在每一次列印前，都必須以 " NOT " 指令先行刪除前面檢索過程中已列印過之文章。事實上，刪除已找到之相關文獻除能省去重複列印之功夫外，還能明確告知檢索者此層次或此詞彙帶來之新相關文章篇數，使其完全掌握特定檢索策略所產生的效益及相關文章增加的情形。因此，在做回收檢索時，每次最好只針對一個概念擴大檢索，讓檢索者能充分明白每一個檢索步驟所能產生的真正效果。

一個好的回收檢索，應該是在找到所有的相關文章之餘，帶來最少的不相關文章，因此選擇詞彙的態度應該非常謹慎，加入任何一個新詞彙都必須有其理由，絕不能放任式地讓詞彙數目任意成長。事實上，最理想的選擇詞彙態度是在嚴謹中儘量發揮創造力，例如欲從戲劇名稱找到相關文獻，不妨輸入劇中角色的名字，藉此多找出一些相關文章。

同時，在做自然語言檢索時，儘量以相近運算元的方式輸入系統，也能有效控制產生不相關文章的機率。

　　最後要探討的問題是回收檢索的停止點。照理而言，回收檢索應進行至資料庫中所有相關文章皆被找出爲止，但由於沒有人能正確知道資料庫中到底有多少筆相關資料，因此回收檢索往往必須於檢索者無法找出任何相關詞彙或沒有任何檢索技巧可以再擴大檢索時方能停止。雖說位於圖 7-1 愈外圍的文章，其相關性通常較低且不合成本效益，但這是意欲找到所有相關文章所需付出的必然代價。

第四節　成本效益檢索

　　成本效益檢索和回收檢索的作法十分接近，都是利用分區組合檢索和引用文獻滾雪球法之檢索策略，同時使用相同的層次檢索模式，只是成本效益檢索隨時隨地考慮檢索效益，而回收檢索則否。也就是說，進行回收檢索時，檢索者考慮的重點在資料庫中是否還有相關文章存在，他們必須試過所有檢索技巧及可能詞彙後才能終止檢索。成本效益檢索則不然，其在強調回收率的同時，同時也強調精確率，因此只要檢索者覺得不合成本效益，他們可以在任何地方停止檢索。正因爲考慮到成本效益，因此成本效益檢索經常使用其他檢索技巧來擴大或縮小檢索範圍並加快檢索速度，這也正是它和一般檢索截然不同的地方。

　　在進行成本效益檢索時，所用以分析檢索題目的方法和回收檢索完全一樣，必須先確定檢索之主題層面及其關係，但可適度引用主題層面連續檢索的觀念，將檢索概念依其重要程度排列，以便隨時以放棄次要概念的方式來擴大檢索範圍。同時，成本效益檢索之檢索層次及其內容和回收檢索一模一樣，都是分為四個層次，其中第一個層次為控制語言檢索，第二個層次為控制語言之狹義詞檢索，第三個層次為自然語言檢索，第四個層次則為相關詞檢索。一般而言，在進行回收檢索時，並不考慮成本效益因素，而在進行成本效益檢索時，對任一檢索策略或檢索詞彙所增加之新相關文章和不相關文章數目及其所花費的時間都必須非常清楚，因為惟有詳知付出（時間、金錢和不相關文章數等）和所得（相關文章筆數）之間的關係，才能知其是否符合成本效益。事實上，當獲得新相關文章的代價超出檢索者願意負擔的範圍，檢索行為就可以宣告終止。通常付出的代價可由時間和金錢兩方面來衡量，可以考慮連線及列印的時間、費用及閱讀不相關文獻所花費的時間等。值得一提的是，只有經由層次檢索，讀者才能做出符合成本效益的決定。假設讀者在一開始檢索時即以相關詞彙進行檢索，他如何決定何處停頓方能合乎成本效益？因此成本效益檢索不得不採用層次檢索的模式，也惟有成本效益檢索能將層次檢索的優點充分發揮。

　　一般而言，控制語彙檢索比自然語言檢索更合乎成本效益的考量，因此如果有合適的控制語彙可以表達檢索問題之主題層面時，必須優先使用控制語彙。其次，包容性檢索通常也非常合乎成本效益檢索，檢索者可以儘量使用之。也就是說，在四個層次的檢索中，第一層次和第二層次較符合成本效益，除了特殊狀況外，此二層次應該出現於所有的成本效益檢索中；至於第三個層次以及第四個層次，則可視需要加以應用，因為並非每個成本效益檢索都必須出現四個層次檢索才算完整。不過，大體而言，良好的自然語言檢索通常還算合乎成本效益，但相關詞就有逐一商榷的必要，除了檢索之主題層面相當專指或是一些偶發狀況，成本效益檢索很少有進行至第四層次（相關詞檢索）之自然語言檢索階段。

在進行成本效益檢索時，如果檢索題目中有相當專指的主題層面，檢索者可多加利用此一主題層面，因為專指的主題層面和其他主題層面或檢索詞彙結合後，通常有刪除大量不相關文章的功能。同時，也可以利用" NOT "指令除去不需要的文章，使檢索更合乎成本效益。但使用" NOT "時要相當謹慎，因為很有可能因此而將一些相關文章排除在外。至於在資料庫的選擇上，也有一些小技巧可供參考，即檢索者應儘量避免同時選用同質性過高的資料庫，因為重複花錢買相同的資料絕對不合乎成本效益的考量。在選擇詞彙上也是一樣，必須選擇能充分代表主題的檢索詞彙，同時儘量利用系統功能來代替完整的詞彙輸入，例如利用切截來控制字尾的變化，利用" expand "指令來蒐集字詞可能的變化，以及儘量以檢索組號碼、 E 號碼和 R 號碼等代替重新輸入，以減少打字錯誤及不可靠記憶所帶來的負面影響。

　　一般而言，在使用者必須自行付費的情況下，成本效益檢索是一種相當常見的檢索類型。事實上，有些檢索者（其中又以撰寫博士論文者最常發生）原先想做完全回收檢索，但往往因為經費時間不足或因缺乏耐心，而將檢索類型轉換為成本效益檢索。但不管如何，為了達到成本效益，事前準備的功夫自然不可少，也就是說，若想完成一高品質之成本效益檢索，必須像完成回收檢索一樣，須事前查詢索引典並考慮檢索策略及技巧，減低線上發生意料之外情境的機率，才有可能充分發揮系統的功能。

第五節　全文檢索

　　所謂全文檢索即在全文資料庫中進行檢索之意。一般而言，全文檢索和其他檢索之不同，並不在於檢索策略上的差異，而是在其以自然語言儲存大量資料之特質，由於包括全文之單元紀錄（ unit record ）所記載之資料量遠較其他類型之單元紀錄為大（例如全文之單元紀錄遠較摘要或題名為長），全文檢索因之被獨立成類。事實上，前文提及之所有檢索策略及技巧，都可以應用在全文檢索中，只是稍不謹慎，可能造成回收率和精確率雙低的悲慘局面。正由於全文是以自然語言的狀態儲存，因此檢索者必須有能力找出同一概念之所有同義詞，否則回收率可能會相當低；同時，正因為單元紀錄所載之資料量非常大，所以發生誤引的機會提高很多，很容易造成精確率偏低的現象。因此，如何在全文檢索中同時將回收率和精確率極大化，成為全文檢索最關鍵性的問題。

全文檢索的第一步，和其他類型檢索一樣，都必須確定檢索問題的主題層面及其布林邏輯關係。由於只要能設法將回收率和精確率極大化，全文檢索即能立於不敗之地，因此全文檢索將分為提高回收率和提高精確率二部分討論。首先探討提高回收率的技巧和策略。由於提高回收率的關鍵在於能否找全代表此概念之所有詞彙，所以檢索者應該儘量開闊辭源。當然，檢索者必須熟悉檢索主題才能廣集詞彙，但也可以利用資訊需求者的專業知識，請其列舉相關詞彙以供檢索之用。同時，索引典也是檢索詞彙一個很好的來源，尤其是在軟性科學上，索引典的用途更大。一般而言，索引典可以提供概念詞彙之同義詞、類同義詞、反義詞、廣義詞、狹義詞及相關詞等，因此在列舉查詢詞彙時的參考價值相當大。此外，利用引用文獻滾雪球法的精神，在相關文章之題名、敘述語、摘要及全文中找尋更多的相關詞彙，也是蒐集檢索詞彙的方式。假如資料庫包含多種語文，最好能夠將各種語文對同一概念的不同表達方式充分融入檢索敘述中。值得一提的是，不管是以何種方法蒐集檢索詞彙，代表同一概念之所有詞彙都是以布林邏輯運算元 " OR " 結合，以求找到所有相關文獻。

　　至於增加精確率的方法，最常見的是使用相近運算元控制字詞出現的先後順序及其距離。當在全文或摘要中進行檢索，產生誤引的機率很高，此時可以相近運算元 " w " 或 " n " 減少產生誤引的機會。同時，由於大部分的全文資料庫都有相當程度的索引，因此還是可以控制語彙的檢索方式來增加精確率。另外，題名擁有的資訊程度相當濃縮，因此將檢索詞彙限制於題名中，也可以增加檢索的精確率。至於一些特殊類型的資料庫，也可將其檢索範圍限制在具有較濃縮資訊的欄位中，例如報紙型資料庫中的標題和副標題、化學資料庫中的註冊號碼（ CA Register Number ）或同義詞等、及生物資料庫中（如 BIOSIS ）的概念代碼（ concept codes ）等。不過在一般性的全文資料庫中，通常還是以"/ti"、"/de" 或 "/ti, de " 等方式將檢索詞彙限制於資訊較為濃縮之題名及敘述語欄位中，此種檢索技巧誠可謂全文檢索時用以提高精確率最好的方法。

　　目前全文資料庫的數目成長很快，因此探討全文檢索技巧的文獻也愈來愈多，正因為全文資料中包含原文，其在「文件傳遞」（ document delivery ）上非常方便，往往成為資訊需求者的最愛。但由於全文檢索系統以自然語言儲存大量未經索引的資訊，經常導致低回收率和低精確率的問題，因此線上突發狀況的應變能力顯得格外重要。相較於其他檢索類型，檢索者必須更熟悉提高回收率和精確率的檢索技巧，才有可能完成一高品質之全文檢索。

附　註

註1:此種分類源於 Marilyn Domas White ，她並沒有專門的著作講述檢索策略或檢索類型，該內容散見於其歷年授課講義中。

註2:此種分類仍源於 Marilyn Domas White ，其中成本效益檢索之部分內容散見於其歷年授課講義中，但全文檢索則大部分為筆者之經驗談。

註3:各種不同類型檢索之內容散見於 Marilyn Domas White 歷年講義中，但其中很多部分為筆者線上檢索經驗之結晶，大部分例子均為筆者自行列舉。

註4:Sharon L. Baker and F. Wilfrid Lancaster, The Measurement and Evaluation of Library Services (Arlington, Va. : Information Resources Press, 1977), pp.200-201.

註5:Ibid., p.20.

註6:有關此主題之文章相當多，僅以下列三篇為代表：

Lucy Anne Wozny, "Online Bibliographic Searching and Student Use of Information: an Innovative Teaching Approach," School Library Media Quarterly 11 (Fall 1982), pp.35-42.

Ellen H. Poisson, "End-User Searching in Medline," Bulletin of Medical Library Association 74 (October 1986), pp.293-299.

Alice C. Littlejohn, "End-User Searching in an Academic Library : the Students' View," RQ 26 (Summer 1987), pp.460-466.

註7:B. K. Oldroyd, "Study of Strategies Used in Online Searching, 5 : Differences Between the Experienced and the Inexperienced Searcher," Online Review 8 (1984), pp.233-244.

Martha Kirby and Naomi Miller, "Medline Searching on Colleague: Reasons for Failure or Success of Untrained End User," Medical Reference Services Quarterly 5 (Fall 1986), pp.17-34.

Sara J. Penhale and Nancy Taylor, "Integrating End-User Searching into a

Bibliographic Instruction Program," RQ 26 (Winter 1986), pp.212-220.

註8:此四層次為 Marilyn Domas White 所創,內容源於其歷年講義。

第八章 索引典及其顯示格式

　　索引典在檢索系統與讀者的溝通上扮演協助者的角色，它經常顯示一連串詞彙供讀者比較，藉以提高溝通上的效率。也就是說，個人必須放棄使用他認為最恰當的詞彙，如此大家在溝通上都能使用相同的詞彙。雖說索引典在圖書館學上是一個普遍使用的名詞，但其定義卻始終是眾說紛紜，莫衷一是。根據其功能和複雜程度的不同，索引典至少有下列四種不同的定義：

1. 索引典的主要功能是將詞彙依字母順序排列。（註1）
2. 索引典編纂詞彙並顯示詞彙間之同義關係、階層關係或其他關係，藉以提供資訊儲存與檢索一套標準詞彙。（註2）
3. 索引典應該根據詞彙的意義排列，而不是像字典一樣依據字母順序排列……索引典的主要功能是列舉可表達同一概念的所有詞彙，藉以協助使用者找出最適合貼切的詞彙來表達他們心中的概念。（註3）
4. 索引典可以當成人類思路歷程的類比……索引典的構造最好和人類大腦的構造一樣，當有一概念產生時，人們可以在自己的思路中尋找最適合的詞彙來表達。（註4）

　　從上述定義可以看出索引典正面臨轉型期，從定義一到定義四，正顯示出索引典四個不同的階段。在第一個階段中，索引典只是將詞彙依照字母順序排列（定義一）。但當索引典中的詞彙愈來愈多時，就必須借助一些參見關係來表示詞彙和詞彙之間的關係（定義二），索引典就邁入第二個階段。但使用者對僅止於標示詞彙關係的索引典並不滿意，他們更進一步地要求索引典能突破依字母順序排列的方式，改變成依概念排列（定義三），也就是索引典的第三個階段。在第四個也就是最後一個階段中，人們希望索引典的結構就像他們大腦的結構，因此他們可以毫不費力地使用索引典。如果從索引典發展的現況來看，大部分的索引典尚停留在第二個階段中，這正是索引典顯示格式格外值得研究的原因之一。

　　自從自動化和線上系統引進圖書館後，在最近幾年中，目錄的本質及其呈現的樣式正面臨空前的轉變。線上公用目錄的研究如雨後春筍般蓬勃，但線上索引典卻相對地乏人問津。即使有人研究線上索引典，大部分也是從事技術上的研究而非概念上的研究，甚至可以說，目前線上索引典只是將紙本索引典原封不動地搬到電腦螢幕上而已。

　　在圖書館與資訊科學中，有關線上索引典的研究非常缺乏，因此對這個課題的探討也就格外具有彈性，任何新發現都將有助於線上索引典的發展。目前線上索引典在技術方面已漸趨成熟，欠缺的反而是對理想索引典本質及理念上的思索與探討。因此，本章將透過對索引典背景和理論的介紹，試圖設計類比人類思路歷程的理想索引典（定義四），並將研究重點擺在索引典顯示格式上。此理想索引典將是一圖形索引典，並且包括主題索引典和作者索引典二大部分。

第一節 索引典之關係型式及排列順序

了解索引典中應有的關係型式是索引典顯示格式設計上相當重要的一環。這個問題可以從語義和詞義上的關係來探討，也可以針對索引典中現有的參見關係進行討論（索引典對語義和詞義關係的實際應用）。本節即兼顧上述二個論點，首先從語義上來探討索引典應有之關係型式，一般而言，可將詞句間各詞彙的關係分爲下列數種：（註5）

相合性 （congruence）

相合關係

相同 （identity）

包含 （inclusion）

重合 （overlap）

分離 （disjunction）

認知上的同義詞

詞源相同

相容或不相容

部分關係

類似關係

真假關係

整體與部分之間的關係

從實際應用的觀點來看，參見關係在索引典中已有相當長的歷史。索引典中最常見的詞彙和詞彙的關係可分為「見」（see）和「參見」（see also）二種。現在的索引典則透過這二種關係不斷地演進，將參見的關係分解成「廣義詞」（Broader Terms，BT）、「狹義詞」（Narrower Terms，NT）、和「相關詞」（Related Terms，RT）三種相當分明的關係。（註6）

在圖書館學與資訊科學的領域中，學者們很早就開始討論索引典中之參見結構，Kochen 和 Taclicozzo 在1968年即已從事這方面的研究。（註7）Willetts 將詞彙之間的關係分為對等關係、階層關係和類似關係。（註8）除了 Willetts 外，Lancaster 和 Vickery 都試圖研究參見關係中之相關關係（RT），希望能將相關關係做更進一步的細分。（註9）他們的研究結果都相當類似，只是在細節上略有不同而已。至於階層關係，Soergel 將其分為下列五類：（註10）

1. 類屬關係（class inclusion）：子類與父類的關係

2. 主題包含關係（topic inclusion）：一種知識包含另一種知識的關係

3. 整體部分關係（whole part）：一件事物（或物件）包含另一件事物（或物件）的關係。

4. 可能的用途：甲和乙的關係建立在甲可能應用到乙的實質或概念

5.其他：無法隸屬於上述四類之其他階層關係。

從語義關係和參見關係來看，可以找出一些實際且更清楚的關係，將其應用到線上圖形索引典上來表達詞彙彼此之間的關係。這些可能被應用的關係如下：

階層關係

類屬關係

主題包含關係

整體部分關係

聯想關係

自由聯想

字形上相似的關係（字母排列類似的關係，也就是一般的字典排列順序）

同義詞

反義詞

因果關係（cause-effect）

方法與目的之間的關係（means-end）

產品與產品之間的關係（product-product）

原料與產品之間的關係（material-product）

在探討字母順序和主題順序前，擬以西方俗諺 "A picture is（sometimes） worth 10,000 words"開場（附帶一提， Larkin 及 Simon 曾在這句話加上 "sometimes" 一詞）。（註 11）本章將圖形索引典定義為非依照字母順序排列的索引典，也就是沿用一般圖書資訊學對索引典的定義。根據上述定義，依主題順序排列的索引典是一種圖形索引典。一般而言，圖形索引典和文字索引典可能表達完全相同的內容，但他們的溝通效率往往因呈現方式的不同而有所差別。

　　事實上，索引典顯示格式在圖書館與資訊科學中並不是一個熱門的研究領域。Soergel 和 Lancaster 在他們的名著中分別以一些歐洲出版的圖形索引典探討索引典顯示格式。（註 12）Davison 也曾比較文字索引典和圖形索引典的績效差異，並試圖從資訊科技和認知科學的角度來設計理想的索引典。（註 13）綜合 Soergel 和 Davison 所述，如果僅就紙本圖形索引典進行討論，它的優缺點可分別說明如下：（註 14）

　　優點：

1.圖形索引典能對某一概念做一目瞭然的呈現。

2.圖形索引典可以省掉翻頁的麻煩，因為所有的關係都呈現在同一頁上。

3.圖形索引典可以提高索引一致性。

4.圖形索引典可以提高回收率和精確率。

5.圖形索引典對不熟悉此學科的讀者可能比較容易使用。

6.當階層關係和聯想關係是在同一頁次時，圖形索引典不必重複列舉，因為所有的關係都是一次呈現。

　　缺點：

1.當顯示詞彙過多時（如顯示一整個大類），很難將所有詞彙放置在同一頁紙上。

2.有時很難將大類合理地劃分成若干小類。

3.只能標示同頁詞彙間之階層關係和聯想關係，無法顯示和其他頁次上詞彙間之關係。

4.能顯示在同一頁之詞彙有限。

5.更新圖形索引典耗費人力甚鉅。

6.當顯示的詞彙較多時，很難將所有詞彙之間的關係以一種清楚而合乎邏輯的方式加以呈現。

事實上，可以從字母順序和主題順序演進的歷史來看索引典排列方式的問題。雖然很多人一想到索引典，就天經地義地認為它應該依照字母順序排列。其實依主題排列才是發展較早的方法，它大概被學者們使用了一千多年。（註 15）依字母順序排列雖然是現今排列方式的主流，但卻是晚近才發展出來的方法。然而這二種排列方式 （依字母順序排列或主題順序） 卻是各有其優缺點。如果從讀者的習慣來看，一般人可能對字母順序排列較為熟悉，因為任何人只要不是文盲，一定知道這種排列方式。但是字母順序排列往往和日常生活話語之間毫無交集。舉例而言，同義詞或相關詞在口語中常被交互使用，但它們在字母順序上卻常被一連串無關的字隔開。也就是說，字母順序排列有其方便性，但對同一個概念而言，其往往僅呈現部分資訊，造成見樹不見林的現象。在一般生活上，這種情況 （部分資訊） 可能不會帶來任何問題，但在索引典或主題標目的排列上，就可能產生一些問題。事實上，在文字索引典中，同義詞被分散在不同的頁次上，使用者必須花費相當的時間精力才能將它們一一找出，常會讓人覺得相當沮喪。

要想找到一能夠組織不同知識之體系架構相當困難，因此在實際應用上，完全放棄字母順序而依照主題順序來發展索引典並不容易。McArthur 曾提出一兼顧字母順序和主題順序的方法，他以一條長線和線上的許多大小不同的泡沫球來表現這種方法，此方法一般稱之爲「線與泡沫模式」（line and blister model）。（註 16）也就是說，這條直線基本上是依字母順序排列，但可將所有的同義詞或相關詞排列在一起，放在同一個泡沫球內，雖說這些詞彙在字母順序中可能有點距離。事實上，這種線與泡沫模式早已廣爲應用在第二階段（定義二）的索引典設計理念上。

如果認爲這種知識分割或是見樹不見林的現象是一嚴重的問題，索引典的設計就應該朝著定義三和定義四邁進 （不能劃地自限於定義二）。換句話說，索引典顯示格式應該模擬人類的思路，因此理想的索引典應該是圖形索引典，而非文字索引典。

第二節 讀者導向和資訊科技對索引典之影響

在資訊組織和檢索上有一存在已久的爭議性問題，那就是知識的穩定性及抽象性與人類多樣性表達之間的衝突。Dervin 相信所有的資訊（或知識）都是人類觀察的產品，而這些觀察會受到觀察儀器、時間、空間和環境變化的影響。

（註 17）在早期系統導向的時代，一個或數個觀察者以他們的觀察結果來設計系統，所以他人要使用此系統時，必須調整自己以適應系統，這種模式是建立在觀察者建構資訊（observer-constructed information）的假設上。一般而言，上述假設認為資訊是客觀且放諸四海皆準的，因此可以用一種標準的方式來描述資訊。如果使用者不能了解標準的使用方式，沒有能力去使用系統，那他就會逐漸淪為資訊赤貧者（information poor）。（註 18）

目前這種觀察者建構資訊的模式已逐漸轉變為讀者自建資訊（user-constructed information）的模式。在新的模式中，使用者的觀察仍然受到儀器、時間、空間和環境的影響，但使用者可以自己的認知和時空概念將其觀察所得意義化（make sense），因此就產生所謂個人化資訊（personalized information）。在讀者導向的前提下，就演變成必須調整資訊去適應使用者，因此資訊鴻溝（information gap）的產生就必須由系統負責，也就是說，顧客永遠是對的，系統必須能適應各式各樣不同的使用者。（註 19）

上述問題（讀者導向趨勢）也可以從個人差異（individual difference）的角度來探討。一般而言，在選擇檢索詞彙時，不同的檢索者選擇相同的詞彙進行檢索的比率很低，檢索到相同結果的比率則更低。（註 20）即使檢索者使用相同的資料庫檢索相同的問題，他們經常會使用大量不同的檢索詞彙，也因此檢索到更多不同的書目資料。就如同

Saracevic所言，人們在表達資訊內容和檢索資訊時，其決策之一致性相當低，很少超過三分之一或是四分之一。（註21）

　　由於個別差異的存在，雖說以觀察者建構資訊為本的線上索引典比較容易編纂，但從讀者自創資訊的角度來設計顯然更符合線上索引典的發展趨勢。所以在線上索引典的設計上，必須放棄追尋標準或典型的使用者，最好能模擬不同讀者之不同思路，讓每位使用者都能感覺到這套索引典是專門為他所設計。總而言之，現在已經是強調讀者導向的時代，再加上資訊科技在儲存和檢索資訊上所提供之彈性與威力，朝著定義四邁進的索引典已不再是個遙遠的夢。

　　綜合上述討論，可以得知如果索引典顯示格式能模擬讀者心中知識架構或記憶組織之模式，那將是索引典設計上之一大突破。此問題可從認知心理學的角度看得更為透澈，現將其分為聯想（association）、語意網路（semantic network）、和空間認知（spatial recognition）三方面來探討。

　　（一）聯想

　　將自由聯想之概念應用到索引典製作中不是一個新的觀念。事實上，人們可能從上下文中產生聯想，也可能在自己的思路中自由聯想。在心理學中有不少有關聯想的著作，這些研究證實了聯想活動的複雜性和多樣性。在這些研究中，心理學家會指定一些字詞，然後請受試者馬上告知其所聯想到的第一個字詞。上述研究顯示，即使是最簡單的字，像「河流」（river）或「吹口哨」（whistle）等，受試者都會產生各式各樣不同的回應。舉例而言，聽到「吹口哨」這個字，美國學生聯想到「火車」（train）的有14%，聯想到「吹」（blow）的有13%，聯想到「女孩」（girls）的有11%，而聯想到「噪音」（noise）的有6%。（註 22）在許多重複的研究中，發現很多相同的字以類似的百分比相繼出現，因此研究者普遍相信，可以透過機率來表示一般性聯想發生的比率。

如果索引典中的詞彙排列是根據人們記憶的組織，那對讀者將是一大福音，因為讀者可以很快地找到最適合的字來描述自己的資訊需求，尤其是在知識異常狀態（Anomaly State of Knowledge, ASK）時。知識異常狀態是 Belkin 所提出的，他認為讀者資訊需求的來源是由於察覺自己心中對某一主題或情境產生之異常狀態，但一般而言，讀者無法清楚正確地陳述這種異常狀態，所以一個理想的資訊檢索系統應該幫助讀者描述這種異常狀態（註 23），而理想索引典正可藉此充分發揮其在提示上的應有的功能。

（二）語意網路

語意網路是心理學家用來描述人類可能之記憶結構的一種方式。最早的語意網路是 Collins 和 Quillian 在

1969年所發展出的語言理解教學器（Teachable Language Comprehender ，TLC）。TLC是依階層關係組織字詞以便進行實際測試之教學器。（註 24）當愈來愈多心理學者攻擊TLC時，Collins 和 Loftus 設計了另外一種語意網路來描述人類的記憶網路，一般稱之爲擴散強化模式（Spreading Activation Model），此網路不再是階層式的，改以語意距離（semantic distance）來組織字詞。（註 25）在1980年，Anderson 設計了另外一種語意網路，一般通稱爲ACT。ACT是由節點（nodes）來表達概念，用鏈（links）來表達概念和概念之間的關係。（註 26）由於ACT理論相當適合應用到索引典的設計上，特將其假設詳細說明如下：（註 27）

1. 強度假設：每一個鏈的強度都是固定的，新鏈的強度通常比較弱，但每次使用後，鏈的強度都會持續增加。

2. 強化假設：在任何事件發生時，都只有少數的節點處於活動狀態中，其餘節點則完全不受此事件影響。

3. 擴散假設：擴散的原則是由活動狀態的鏈傳至相連之非活動狀態的鏈，連結二個節點間鏈之強度愈強，相連之非活動狀態之鏈愈可能轉爲活動狀態。但擴散活動有其一定的限度，當一次擴散至很多不同的鏈時，處於活動狀態中的鏈就會隨之減少。

4. 減弱原則：一段時間不用後，網路中所有的鏈和節點會慢慢減弱其強度。

5. 節點數目假說：一次最多只能有十個節點處於活動狀態中，這是 ACT 工作記憶（working memory）容量的極限。

上述ACT假說很容易應用在索引典的設計上，假設讀者心中有一詞彙，這個詞彙就是一個節點。此詞彙可以透過強弱不同的鏈和其它詞彙（節點）連結，其中擴散強化的情況都必須根據上述假設進行。此語意網路可提供電腦學習機會，電腦可以透過讀者的使用，學習不同讀者的記憶結構，如此才可能設計出個人化的索引典。

（三）空間認知

空間認知可以加強記憶不是一個新的觀念，這種經驗在日常生活中經常發生。舉例來說，學生在考試時可能忘了答案，卻記得在什麼時候老師曾將其寫在黑板的某個角落，或是清楚地記得某份檔案放置在書桌上的位置。上述二種狀況都是空間認知強化記憶的明證，其在資訊處理上的應用層面應該是相當廣泛。

在索引典的設計上，可以應用空間認知的觀念。在顯示詞彙時，如果將某一類型的詞彙固定擺在螢幕上的某個位置，就會有助記的功用。比如說在圖形索引典上，讀者熟悉某個位置的詞彙屬性，通常他就可以用最快的速度找到最適合的詞彙。

理想的索引典顯示格式應該模仿人類的記憶結構（定義四），此境界只有藉著圖形索引典才可能達成。空間記憶正可在此發揮助記的功能，讓讀者能更快地找到最適合的詞彙。

索引典通常是一冊或數冊的鉅型紙本，所包含的字詞從數千個到數千萬個不等。目前已經有一些檢索系統提供線上索引典的功能，但這些系統多半只提供字母順序類似的詞彙，只有少數系統提供具有參見關係的線上索引典，如全世界最大的書目資料庫 Dialog，它就同時提供字母順序排列接近的字詞和參見關係的索引典。讀者只要下 "expand" 指令，在 Dialog 系統中就可以分別顯示上述二種不同形式的線上索引典。

資訊科技的進步一日千里，一般而言，電腦顯示器（螢幕）愈做愈大，解析度也愈來愈高，而這些技術正是處理圖形顯示的基礎。另外，超書（hypertext）或超媒體（hypermedia）也提供線上圖形索引典一個絕佳的成長機會，所謂超書事實上是一種非線性的排列，應用到線上索引典上就是提供多樣化的聯想詞彙，因此較為接近理想的索引典設計模式，可謂建立個人化索引典之絕佳途徑。

上述索引典可以稱之爲「超索引典」（hyper-thesaurus），事實上很接近 Bush 在1945年所提的 "memex"（註 28），它能像人類思路一樣任意遨遊。隨走隨停地悠游於這樣的超索引典上，讀者可以依自己的意念連結字詞，這些連結可能是非理性的、非邏輯的或不一致的。此索引典的功能就是提供多樣性的詞彙選擇，而讀者也可以根據自己的思路更改詞彙與詞彙之間的連結。

總之，由於資訊科技的進步，設計一個類比人類思路的線上圖形索引典已不再是天方夜譚。事實上，技術已經成熟，現在正是設計理想線上索引典的絕佳時機。

第三節 索引典設計理念

由於資訊科技的進步和讀者導向的趨勢，線上圖形索引典已成爲索引典顯示格式的另一種選擇。目前最重要的課題並不是將紙本索引典線上化，而是重新思索理想的線上索引典所應具備的條件，這不是一種換湯不換藥的設計過程，而是一種處理變化（change process）的過程。根據文獻分析的結果，可以對線上圖形索引典提出下列建議：

（一）增加新的參見關係

目前一般索引典還是維持三種基本的參見關係：廣義詞、狹義詞和相關詞。至於理想索引典中必須呈現的關係，從語義和詞義及參見關係來看，可以分爲下列二個部分來探討：

1. 重新考慮階層關係

    1.1 保留廣義詞和狹義詞的關係

    1.2 將一般物種關係分為類屬關係和主題包含關係

    1.3 增加整體部分關係

    在目前的索引典中，階層關係是用廣義詞和狹義詞來表達，也就是說，唯一能在索引典中表示的階層關係是父子關係。因此索引典中之階層關係只有長幼順序，沒有種類關係。在這個新的設計中，決定保留廣義詞和狹義詞，同時加入三種新的階層關係：類屬關係、主題包含關係及整體部分關係，如此其他階層關係也能在索引典中適當地表達出來。

    一般而言，在強調語義關係的索引典中，可以用詞彙的特性來代替詞彙的定義，因此區分不同的階層關係就可以發揮選擇性繼承的功用，因為只有類屬相關的子類能夠繼承其父類的特性，其它的階層關係則不容許。如果再將認知心理學中「基本階層」（basic level）的概念與之結合，在索引典設計上更是一大突破。基本階層是指為了節省認知上所需花費的空間和精力，不可能將相同的資訊重複儲存在不同的階層中，因此這些特性就只能儲存在「基本階層」上。（註 29）在此理想的索引典中，詞彙的特性也將只在基本階層中儲存及呈現一次，如果二個詞彙之間的關係是類屬關係，那其特性將可互相繼承，這種互相繼承可以經由電腦自動完成。上述索引典的設計不但更為接近人類的思路與記憶架構，同時也可省下不少硬體儲存空間。

2. 將聯想關係細分為下列關係

　　2.1 自由聯想

　　2.2 字形相似的字

　　2.3 同義詞

　　2.4 反義詞

　　2.5 因果關係

　　2.6 方法與目的之間的關係

　　2.7 產品與產品之間的關係

　　2.8 原料與產品之間的關係

　　這些聯想關係將有助於讀者找出他認為最適合使用的詞彙，將這些聯想關係細分至少有一個好處：即每一種關係在電腦螢幕上都有一固定的位置，因此空間認知就可以在圖形索引典中充分發揮其功能。

（二）讀者自建索引典

　　儘管使用者不同，目前資訊系統對任何人提出的相同問題都是給予固定的答案，這種系統是建立在以典型使用者來代表所有使用者的假設上，也就是說，這種系統的設計完全沒有考慮到個別差異，和現在系統設計的理論完全背道而馳。索引典的設計應該正視這個問題，必須掌握個別差異的原則，讓資訊來適應讀者，這正是讀者自建索引典概念之延伸。

目前大部分的索引典都是為索引者設計的（也就是觀察者建構資訊），雖說有部分索引典已經開始嘗試提供大量詞彙，並接受一些讀者自己定義的詞彙和關係（也就是讀者自建索引典），但目前距離能處理「不確定」（uncertainties）的讀者索引典還有一段遙遠的距離。

在資訊檢索中所謂的「不確定」，通常是指在文件描述和問題陳述之階段中，任何決策都會有其一定程度和某種機率的不確定存在。雖說詞彙的選擇可能是隨機的，但這些詞彙很可能都源於某一小集合中，只是無法預知讀者到底會選擇那些詞彙而已。因此即使使用非常嚴謹的索引典，一本書還是可以用很多詞彙來描述，而且通常索引者和讀者很少會使用相同的詞彙來描述同一本書。目前的索引典並沒有考慮此「不確定」因素，主要的困難在於無法處理讀者選詞的不確定性。事實上，這些人性因素不應該再被視為一種阻礙，設計者必須嘗試用複雜性（complexity）和多樣性（variety）來解決存在的「不確定」問題（註 30），希望能藉此提高線上索引典的使用績效。

一般而言，複雜性是指在檢索過程中，認識字彙的複雜性和彼此之間之細微區分。通常檢索者必須經過一連串的過程才能確定檢索詞彙，比如對系統處理文件方

式的認知，對索引語言的認知，以及經由大腦中的語意
網路了解詞彙更深切的意義等。至於多樣性，則是指檢
索者在列舉查詢詞彙時，必須儘可能將所有相關詞彙列
出。在目前的線上檢索系統中，系統很少提供這種功
能，同時很多終端使用者不知道他們必須儘其可能地將
同義字列出才能提高檢索品質。（註 31）

在實際檢索中，讀者列舉詞彙的多寡往往可以決定
檢索的成敗，而讀者通常又沒有足夠的能力和時間來列
舉所有詞彙。事實上，索引典是為了刺激讀者對詞彙的
聯想，因此它不但應該建議檢索者可能使用的同義詞，
同時也幫助讀者在可能的範圍內選出最適合的詞彙。從
複雜性和多樣性的角度來看，如果檢索者想找出所有相
關文章，那系統應該提示讀者所有可能使用到的相關詞
彙；如果讀者只是想找出最適合的幾篇文章，那系統應
該轉而幫忙找尋最貼切的檢索詞彙。（註 32）因此，詞
彙和詞彙之間的鏈愈多，讀者就愈容易透過參見關係尋
找適合的敘述語，或是列舉所有可能的查詢詞彙。

如果索引典能從複雜性和多樣性的角度來幫助讀者
處理「不確定」，那將是設計上的一大進步。一些比較
終端檢索者和資訊中介者的文章都強調：終端使用者最
大的問題在於無法列舉所有相關詞彙。（註 33）因此，
理想索引典除能解決上述問題外，它還必須提供「邊緣
撞擊」的功能，即使檢索者使用不常見或不合邏輯的字

詞，索引典也會幫助讀者進入合適的語意網路中。

（三）類比人類思路的索引典

　　如果索引典的顯示格式能模仿人類的思路或記憶結構，那不但可以增加檢索速度，還可以提高檢索品質。超書和語意網路使類比人類思路的索引典的可行性大增。

　　超書提供使用者和系統間一種新的互動關係。在超書系統中，使用者可以在索引典中，隨時增加新的節點和鏈，這些新的節點和鏈，不但可供讀者本人享用，也可以和其他使用者共同分享。也就是說，超書可以使資訊檢索系統或是索引典與讀者間產生真正的互動關係，而不是以系統為主導的傳統型互動關係。

　　換句話說，超書提供讀者在系統上建立鏈和節點的機會，所以讀者可以進行非線性的移動，也就是說，讀者可以選擇自己要走的路，不一定要依據系統所規劃的路線行走。另外，超書也提供系統或索引典學習讀者習性的機會，如果使用群經常有一些非邏輯性的聯想，當這個鏈的作用力愈來愈強時，系統就會將這些非邏輯性的聯想列為主流。依這種理念設計的索引典可稱之為超索引典，讀者可以在超索引典上更新索引典詞彙或加上新的連結（鏈）。如果設計者不希望讀者隨意刪改系統時，可以暫時保留讀者所加上之新的節點或鏈，等累積到一定次數後，再由系統統一加以修改。

　　前文曾經提到，如果索引典能夠類比人類的思路或記憶結構，那將是索引典的一大進步。由於認知心理學者多半認爲人類記憶（尤其是長期記憶）是以語意網路的型態組織架構的，也就是說，理想的索引典應該也是以語意網路架構的。因此爲達到定義四之理想索引典，索引典顯示格式的設計必須朝著標示個人差異的方向邁進，超索引典是一個可以預期的發展，因爲它提供了絕佳機會去模擬個人不同的心智模型，而且也使索引典具有學習個人特質及適應個人差異的能力。

第四節　理想的索引典顯示格式

　　從文獻分析可以歸納出，索引典顯示格式必須反應出詞彙間的邏輯次序和人類記憶的結構，因此圖形索引典將會是一種更好的選擇。再加上資訊科技的配合，理想之索引典顯示格式也呼之欲出。一般而言，索引典可分爲主題索引典和作者索引典，因此本節之探討也將依此順序進行。

　　（一）主題索引典

　　　根據前文得知，理想索引典應該是由語意網路構成的圖形索引典，它的主要功能在幫助讀者陳述問題和列舉適當的詞彙，同時提供複雜和多樣性的詞彙，讓使用者能夠找出所有查詢詞彙或是最適當的詞彙（消除讀者的不確定感）。另外，此索引典必須具備連結的功能，

以激發讀者在資訊尋求上的聯想能力，並能學習使用者
的不同特性，成為一個名符其實具有學習功能的超索引
典。這就有點像 Cholsky 所提出的深入結構（deep
structure）和表面結構（surface structure）的區別。表面
結構可以由個人使用的詞彙和描述來構成，但深入結構
（通常是語意網路）則是由個人的詞彙及其聯結之間的
關係所組成。（註 34）

　　在電子媒體中（一般也稱之為線上），索引典顯示
格式將更有彈性。假設讀者心目中已經有理想的詞彙，
他可以直接將這個字打在螢幕上，螢幕上將會立即顯示
一圖形索引典。如果讀者所輸入的字並不是敘述語，電
腦必須在螢幕上回應一些相關字或是字形類似的詞，也
可以透過自動拼音檢查系統或對調字詞順序來找到讀者
心目中的敘述語。一旦系統幫助讀者找到適合的詞彙
（一般而言是敘述語），那檢索者便進入一語意網路
中。此語意網路將是一讀者自建之超索引典，包括敘述
語和非敘述語，以及詞彙之間的聯想網路，比傳統索引
典提供更豐富且多樣性的詞彙及找尋的路徑。

　　上述理想索引典中，其語意網路中詞彙之間的聯結
強度可間接由詞彙共同出現的次數或是實際實驗得知。
如果用實驗法推知二個詞彙的類似程度，至少有「適合
程度」（goodness of fit）和「語意距離」（semantic
distance）二種不同的方法。適合程度是由 Rosch 所提出

的概念。（註 35）他用一個類別下可能有的個例來研究
自然類別（natural category）的結構，受試者根據個別
屬種能代表此一類別的程度來區分該個例對此類別的合
適程度。舉例來說，一般受試者會認為蘋果和柳丁比較
能代表水果類，蕃茄和椰子則比較不能代表水果類。通
常，受試者對不同個例的代表程度有很高的相似性，這
充分顯示在一般類別中，人們對某個例的代表程度有相
當高的認同感。至於語意距離，在前文曾經提過，是由
Collin 及 Loftus 所提出的。（註 36）這種語意距離是由
受試者回答二個物件的相關或相似程度所獲得。假設經
由上述二種方法分別得知詞彙和詞彙之間的類似程度
（或是由詞彙共同出現的次數來推算語意距離亦可），
可將其與擴散強化模式結合，因此當使用者輸入某敘述
語時，在該敘述語連結到語意網路後，擴散的力量會從
動態的節點傳入相連之靜態節點中。當鏈的強度到達某
一程度時，相連的節點就會出現在語意網路中。如果有
太多鏈的強度到達活動標準，則可利用節點數目假說提
高該標準，因此同時在語意網路中活動的鏈不會過多。
再者，根據強度假說，剛形成的鏈的強度都比較弱，但
每次使用後該鏈的強度會隨之加強。所以當使用者不約
而同地持續使用某一種自由聯想時，這個聯想的強度在
語意網路中會不斷加強（即使這個聯想是非理性或非邏
輯性的），因而此鏈所指的節點將很快進入積極活動的

動態節點中。

綜合以上所述，可以設計出一個較爲接近理想狀況的索引典。此索引典可以用顏色來區分敘述語和非敘述語。舉例來說，如果讀者心中的主要詞彙（讀者欲輸入之詞彙或其心中之理想詞彙）以紅色表示，可以用黃色來代表敘述語，藍色來代表非敘述語，讓使用者對詞彙的屬性一目瞭然。然後根據空間認知的理念，將不同的參見關係擺在各別固定的位置。在此索引典中，讀者可以用游標在敘述語間自由活動，不斷產生新的語意網路，直到讀者覺得滿意爲止。現嘗試將此索引典更詳細說明如下：

1. 主要詞彙通常顯示在螢幕中央。詞彙的意義不以定義表示，而以其特性表示之。通常將特性儲存在主要階層中，用以代替定義的功能。

2. 此索引典僅顯示類屬關係和主題包含二種階層關係，階層關係的顯示將在螢幕最中間從上到下排列，排列在愈上方的字，其階層愈高。

3. 同義詞或類似詞將水平排列在螢幕中央，詞和詞之間會依照語意距離排列，語意距離愈短，表示這二個詞彙之關係愈接近。反義詞則排列在水平線的左右二端，表示其與主要詞彙的同義關係最遠。

4.位於左上角的詞彙將顯示整體和部分的關係。此處之詞彙，其所在位置愈高，表示其階層愈高。

5.位於左下角的詞彙則是屬於自由聯想產生的詞彙，自由聯想強度愈高之詞彙，其出現的位置愈靠近主要詞彙，也就是說，聯想強度可以由詞彙與詞彙之間的距離推算得知。

6.至於右上角的部分除擺放字母順序類似的詞彙外，還包括頭字語、英美不同用字 （spelling variants）、單複數、名詞動詞之不同形式等。如果這些字都呈現在螢幕上，使用者可用游標一一走過他認為需要的字，直接在這些詞彙上進行檢索，如此不但可以達到切截的功能，也可以有效控制一般切截所產生的誤引。

7.右下角的部分則放置一些較為特殊的關係，由上到下分別是原料和產品之間的關係、產品和產品之間的關係、因果關係以及方法與目的之間的關係。

（二）作者索引典

目前幾乎所有的作者索引典都是依作者的字母順序排列。一般而言，作者索引典的主要功能是將所有名字類似的作者排列在一起，以方便讀者得知某作者在作品中所有可能出現的名字式樣或是某名字的正確格式。事實上，除了上述功能外，一般讀者更希望作者索引典能夠將學科類似的作者擺在一起，也就是說，強化作者索引典的主題功能。

圖形的作者索引典可以距離來表示作者和作者之間研究領域的差距，而此距離可用共同題名或是共用書目分析的方式求得。（註 37）利用共用書目分析取得作者和作者之間的距離相當容易，只要將二個作者的名字同時輸入具有引用文獻檢索的書目資料庫中，立刻可以得知有多少篇文章共同引用這二位作者。一般而言，二位作者愈常被共同引用，表示其學科關係愈接近。因此，要得知作者和作者的距離比詞彙和詞彙之間的距離容易且客觀許多。

在作者索引典中，同樣可以用顏色來區分作者。舉例來說，可以用紅色來表示讀者所指定的作者（所想找尋的作者），黃色表示此作者所有的名字式樣，藍色則表示和此特定作者研究領域接近的其他作者。同時，所有擴散強化模式的假說都可以應用到此作者索引典中，如強度假設、強化假設、擴散假設、減弱假設，及節點數目假設等。因此，如果作者和作者之間也形成一個作者網路，那作者和作者之間的關係愈接近，他們就愈容易共同出現在同一個作者網路中，而且其在螢幕上呈現的距離也愈接近。在電腦螢幕上，此理想作者索引典的顯示格式如下：

1. 右上角螢幕呈現指定作者名字之所有拼法，包括全名及各種名字縮寫方式等，其目的在提供讀者以不同管道進入索引典的彈性，例如讀者只知道作者的姓和名的第一個字，他仍然可以找到該作者。同時，讀者也可以用游標掃過所有他認為可能的名字來進行檢索，和主題索引典一樣，不但可完成切截的功能，也能成功地避免切截所帶來的誤引。

2. 左邊螢幕顯示和指定作者研究領域相同或類似的作者。一般而言，二位作者的距離愈近，表示其研究主題愈接近，因此讀者可經由此作者索引典找到一些相關作者，進而找到更多相關的文章。

　　總之，現在正是討論圖形電子索引典顯式格式之最好時機。一般而言，模仿傳統紙本索引典顯示格式可能不是最好的方法，資訊科技的進步正好提供線上圖形索引典一個絕佳的發展機會。因此本章嘗試設計一理想索引典，此索引典為一語意網路構造的圖形索引典。其中主題索引典將進一步細分階層關係，因此可由電腦直接將類屬關係中父類的特性直接傳給子類。同時也將聯想關係及其他關係分成不同的種類，因此空間認知可以發揮它的功能。也就是說，此索引典同時提供處理不確定所需的複雜性和多樣性詞彙，而且是一個模擬人類思路和思考過程、具有學習能力、並由讀者自建之超索引典。至於作者索引典，除了保留現有字母順序關係的呈現外，還可提供和某指定作者研究領域類似的其他作者供讀者參考。

　　筆者雖然發展出線上電子索引典的模型，但並沒有任何實際索引典採用此種顯示格式，因此也很難評估此種顯示格式的效益。再加上提供自由聯想的索引典，如果沒有實驗法以外的其他產生語意距離的方式，幾乎不可能落實為實際可用的索引典。此外，本文提及之顯示格式，應用到中文環境上，可能會產生一些問題。因此，索引典顯示格式仍然是非常值得思考與研究的待開發園地。

附　註

註 1:Margaret Willetts, "An Investigation of the Nature of the Relation between Terms in Thesauri," Journal of Documentation 31:3 (September 1975), pp.158-184.

註 2:Alan Gilchrist, The Thesaurus in Retrieval (London: ASLIB, 1971).

註 3:Ibid.

註 4:Tom McArthur, World of Reference: Lexicography, Learning and Language from the Clay Tablet to the Computer (New York: Cambridge University Press, 1986).

註 5:A. D. Cruse, Lexical Semantics (London: Cambridge University Press, 1986).

註 6:Willetts, op. cit., pp.158-184.

註 7:Manfred Kochen and Taclicozzo, "A Study of Cross-Reference," Journal of Documentation 24:3 (September 1968), pp.173-191.

註 8:Willetts, op. cit., pp.158-184.

註 9:F. W. Lancaster, Vocabulary Control for Information Retrieval, 2d ed. (Arlington, Va.: Information Resources Press, 1986).
　　B. C. Vickery, "Knowledge Representation: A Brief Review," Journal of Documentation (September 1986), pp.145-159.

註10:Dagobert Soergel, Organizing Information: Principles of Data Base and Retrieval Systems (New York: Academic Press, 1985), pp.282-283.

註11:Jill H. Larkin and Herbert A. Simon, "Why a Diagram Is (Sometimes) Worth Ten Thousand Words," Cognitive Science 11 (1987), pp.65-99.

註12:Lancaster, op. cit.
　　Soergel, op. cit., pp.282-283.

註13:Colin H. Davison, "Improved Design of Graphic Display in Thesauri--Through Technology and Ergonomics," Journal of Documentation 42:4 (December 1986), pp.225-251.

註14:Davison, op. cit., 225-251.

　　　Soergel, op. cit., pp.282-283.

註15:McArthur, op. cit.

註16:Ibid.

註17:B. Dervin and Nilan Michael, "Information Needs and Uses," in Annual Review of Information Science and Technology 21 (1986), pp.3-33.

註18:Ibid.

註19:Ibid.

註20:Tefko Saracevic, "A Study of Information Seeking and Retrieving. I. Background and Effectiveness," Journal of the American Society for Information Science 39:3 (May 1988), pp.177-196.

註21:Tefko Saracevic, "A Study of Information Seeking and Retrieving. III. Searchers, Searches and Overlap," Journal of the American Society for Information Science 39:3 (May 1988), p.207.

註22:Richard E. Mayer, Thinking, Problem Solving, Cognition (New York: W. H. Freeman and Company, c1983).

註23:N. J. Belkin, "ASK for Information Retrieval: Part I. Background and Theory," Journal of Documentation 38:2 (June 1982), pp.61-71. N. J. Belkin, "ASK for Information Retrieval: Part II. Results of A Design Study," Journal of Documentation 38:3 (September 1982), pp.145-164.

註24:John B. Best, Cognitive Psychology (New York: West Publishing, 1986), p.189.

註25:Ibid., p.193.

註26:Ibid., p.196.

註27:Ibid., p.203.

註28:Vannevar Bush, "As We May Think," Atlantic Monthly 176 (July 1945), pp.101-108.

註29:Mayer, op. cit., pp.249-250.

註30:Marcia Bates, "Subject Access in Online Catalogs: A Design Model," Journal of the American Society for Information Science 37:6 (November 1986), pp.357-376.

註31:B. K. Oldroyd, "Study of Strategies Used in Online Searching: Differences between the Experienced and the Inexperienced Searchers," Online Review 8 (1984), pp.233-244.
Martha Kirby and Naomi Miller, "Medline Searching on Colleague: Reasons for Failure or Success of Untrained End User," Medical Reference Services Quarterly 5 (Fall 1986), pp.17-34.

註32:Bates, op. cit., pp.357-376.

註33:Oldroyd, op. cit., pp.233-244.

註34:Mayer, op. cit., pp.213-214.

註35:Ibid., op. cit., 246-247.

註36:A. M. Collins and E. F. Loftus, "A Spreading Activation Theory of Semantic Processing," Psychological Review 82, pp.407-428.

註37:H. D. White and B. C. Griffith, "Author Cocitation: A Literature Measure of Intellectual Structure," Journal of the American Society for Information Science 32:3 (May 1981), pp.163-171.

第九章　參考晤談

　　過去由於線上檢索尚未普遍且價格高昂，因此在正式上線進行檢索前，館員通常會事先進行參考晤談。參考晤談在館員心目中的重要性，可由各單位所設計形形色色之參考晤談表中窺見一斑。但隨著終端使用者直接檢索大型線上資料庫之情形愈來愈普遍，再加上光碟資料庫的使用量迅速成長，參考晤談的必要性顯已式微，但部分學者仍然對參考晤談的研究相當執著。事實上，只要人機互動的研究繼續受到重視，參考晤談在學術上就有其一定的份量，因為理想的人機互動過程或是智慧型介面，就是一具備多種館員知識之介面系統，其知識內容包含館員的溝通技巧、將參考問題具體化的能力、參考資源的掌握、檢索技巧及解決問題的能力等。也就是說，如果能了解參考館員在參考晤談過程中所使用的知識，例如如何幫助讀者找出真正的資訊需求、如何找尋合適的資料庫、如何選擇適當的檢索策略和檢索技巧等，然後嘗試將上述知識結構化，對設計聰慧的人機界面一定貢獻甚巨。換言之，藉著對傳統參考晤談的了解與認識，可以設計和改進現代化的線上檢索系統之人機互動介面。

　　正由於參考晤談是人和人（讀者和館員）之間的一種溝

通行爲，而舉凡人際溝通，都牽涉到技術和藝術雙重層面，其過程往往相當複雜且涉及多種領域（如認知型態、資訊尋求行爲、資訊需求分析等），因此在討論時往往難以兼顧。本章將從哲理探討出發，首先論述參考晤談的模式及其定位，其次分析參考晤談之四大層面（結構、一致性、速度及長度），最後綜論有關參考晤談之評估準則。但因爲參考晤談本身是一種人際溝通，很難有一放諸四海皆準的模式，因此，如何完成一高品質之參考晤談，除有賴館員對參考晤談的經驗與技巧外，創造力與臨場反應能力實不可或缺。

第一節 參考晤談的模式及定位

參考晤談起自讀者向館員提出其檢索問題。事實上，釐清讀者所提出的問題，在人際溝通中屬於相當複雜的一環，因爲在參考晤談的過程中，讀者通常不是對館員描述一個他所了解的問題，而是一個他並不太清楚的問題（甚至僅是一種狀態）（註1）；即使讀者能清楚掌握自己的問題，他也不見得有能力以口語或文字明確地表達出其資訊需求。因此，Taylor 在其 1968 年有關參考晤談的名著中，將讀者的資訊需求依其陳述程度分爲四級：（註2）

Q1-內藏之資訊需求（ the visceral need ）：真實但無法陳述之資訊需求

Q2-意識化之資訊需求（ the conscious need ）：有意識

　　並在腦海中勾勒出輪廓之資訊需求

　Q3-正式之資訊需求（ the formalized need ）：用具體口
　　語或文字陳述出之資訊需求

　Q4-妥協後之資訊需求（ the compromised need ）：輸入
　　資訊系統之資訊需求

　　其中內藏之資訊需求若有似無，雖然處於渾沌狀態，卻
是讀者真正資訊需求之所在。很多學者呼籲參考晤談最重要
的目的是在協助讀者說出其原始之資訊需求，所指即為此內
藏之資訊需求。至於意識化之資訊需求，則是一種模糊不清
的問題陳述狀態，讀者自覺似乎能掌握自己的資訊需求，但
有時又覺得資訊需求幾乎完全失控，在此階段中，讀者比較
傾向和同事一起討論，以釐清其對問題的疑慮。至於正式之
資訊需求，是一種對問題明確且具體的陳述，內容可包括問
題本身、問題背景資料及其條件限制等。最後討論妥協後之
資訊需求，由於各個系統所提供之功能、指令及檢索能力都
不盡相同，因此必須根據系統的特色進一步修飾資訊需求，
使之成為系統能夠接受的陳述，此即妥協後之資訊需求。一
般而言，讀者輸入系統的資訊需求（亦即檢索敘述）皆為妥
協後之資訊需求。（註3）

　　Taylor 的參考晤談模式從 1968 年發表至今，支持引用
此文獻的學者相當多，雖然沒有實證性研究證明其觀點，卻
也沒有學者嘗試挑戰他所提出的資訊需求模式，只有 Markey

在 1981 年試圖將其模式由讀者單一層面擴大成館員和讀者
間的雙向溝通。（註 4 ）圖 9-1 顯示 Taylor 和 Markey 二模
式之間的異同。（註 5 ）在此二模式中，資訊需求的陳述程
度完全不變，都是由 Q1（內藏之資訊需求）進展至 Q4（妥
協後之資訊需求），但 Taylor 之模式僅止於描述讀者個人資
訊需求陳述程度之變化，而 Markey 之模式則將資訊需求的
陳述轉換成讀者和館員之間的溝通。當讀者處於內藏之資訊
需求狀態時，他通常需要時間讓問題成熟，且無法採取有效
之資訊尋求行為，因此讀者只可能在 Q2（意識化之資訊需
求）或 Q3（正式之資訊需求）的狀態中向館員尋求協助；
但不管讀者在何種狀態時向館員求援，一旦其設法將問題具
體表達，對館員而言都處於 Q3 狀態（正式之資訊需求）。
由於 Markey 的模式基本上是由館員執行線上檢索，因此從
Q3（正式之資訊需求）進至 Q4（妥協後之資訊需求）明顯
是屬於館員的工作。也就是說，在 Markey 的模式中， Q1
（內藏之資訊需求）是屬於讀者個人之內心世界， Q4（妥
協後之資訊需求）則完全隸屬於館員的轄區， Q2（意識化
之資訊需求）和 Q3（正式之資訊需求）才是館員和讀者真
正互動的區域。事實上， Taylor 的模式是以讀者資訊需求的
陳述程度來區分不同的資訊需求，通常讀者應在 Q2（意識
化之資訊需求）階段諮詢同事，在 Q3（正式之資訊需求）
階段正式向館員提出檢索問題。至於 Markey 的模式，除了
沿用 Taylor 之資訊需求陳述程度外，並利用資訊需求的擁有

者（ bearers ）來區分不同程度的資訊需求，也就是將資訊
需求分爲獨立之資訊需求（ isolated needs ）和協商後之資訊
需求（ negotiated needs ）。因此，Q2（意識化之資訊需求）
和 Q3 （正式之資訊需求）爲讀者和館員所共有，屬於協商
後之資訊需求；而 Q1 （內藏之資訊需求）爲讀者私有，Q4
（妥協後之資訊需求）則爲館員私有，此二者屬於獨立之資
訊需求。正因爲讀者可能在 Q2（意識化之資訊需求）和 Q3
（正式之資訊需求）階段向館員提出問題，所以這二個階段
是參考晤談的核心，大部分的雙向溝通都在此階段完成。（註
6 ）

資訊需求擁有者

		讀者	館員
資訊需求 陳述程度	Q1 （內藏之資訊需求） ↓	Q1 ↓	
	Q2 （意識化之資訊需求） ↓	Q2 ▾ ↓	Q2 ↓
	Q3 （正式之資訊需求） ↓	Q3 ◂	▴ Q3
	Q4 （妥協後之資訊需求）		Q4 ↓
Taylor 模型		Markey 模型	

圖 9-1 ： Taylor 和 Markey 之參考晤談模式比較圖

　　White 則以完全不同的角度發展她的參考晤談模式（註7），她主要是以資訊需求表達的阻礙程度來區分不同的資訊需求，其參考晤談模式如表 9-1 所示。一般而言， White 先假設每一個待解決的問題，都應該有其「理想」或「完美」的資訊，這個理想狀態被稱爲 C0 （註 8 ），也就是任何參考晤談亟欲尋找的理想資訊。但此完美資訊被重重障礙所包圍，讀者欲找到此完美資訊，必須通過層層關卡突圍而出。讀者所面臨的首要障礙（即所謂 C1 ）是來自讀者或問題本身的障礙，也就是受限於問題的複雜性或讀者解決問題的能力，讀者無法清楚地表達自己的資訊需求。第二個限制（即 C2 ）來自於讀者對系統能力的認知，如果讀者認爲此系統並不具備布林邏輯的功能，那他就不會使用布林邏輯來尋找相關資料，進而降低其找尋到理想資訊的機率。第三個障礙（即 C3 ）是系統的實際能力和妥協後問題的限制，事實上，讀者對系統能力的認知和系統的真正實力間可能會有一些差距，讀者可能以自己認知的系統能力設計檢索敘述，而後根據系統真正能力再度修飾資訊需求，但無論如何，系統本身的限制及妥協後問題的表達程度一定會影響到檢索結果。第四個障礙（即 C4 ）是一些情境因素的限制，這些情境因素不見得在參考晤談的過程中被討論到，然而一旦這些狀況發生，對檢索結果可能產生相當大的影響。（註 9 ）舉例來說，讀者透過網際網路與 Dialog 系統連線尋找相關資訊，但因使用網路的人過多，系統回應的速度相當慢，而當讀者只有能力負擔半小時的上線費用時，他只好輸入一些簡單的詞彙快速檢索，這就是非常典型的情境限制。

表 9-1 ： White 的參考晤談模型

階段	阻　礙　認　知
C0	在理論上，每一個待解決的問題，都應有其理想完美的資訊
C1	問題本身或是讀者個人解決問題上的阻礙
C2	對正式系統的認識
C3	系統的實際能力和妥協後問題的限制
C4	受限於其他參考晤談中沒有提及的情境變數

　　一般而言， Taylor 的參考晤談模型和 Markey 的參考晤談模型之間的差異並不大，但若將此二模型和 White 之模型加以比較，其間的差異不可謂不大。三模型的共通處都是要回歸一假想之原始狀態，其在 Taylor 和 Markey 文中係指原始之資訊需求，而在 White 文中則是指完美的資訊。但由於上述三個模型都未經實證性研究證實，因此無法真正比較這些模型的解釋效果，不過在此三模型中，仍以 Taylor 之模型影響最大，因此參考晤談的目的是否在追尋原始之資訊需求（ Q1 ），已在圖書資訊學中激起廣泛的討論與迴響。目前部分學者提出放棄尋找讀者真正資訊需求的說法，認為只要設法了解讀者所提出的問題即可（註 10 ），此股風潮究竟為逆流還是主流，是一個頗值吾輩深思的哲學問題。

　　一般咸認為找出讀者原始、真實的資訊需求為參考晤談的最主要的目的之一，就像醫生問診一樣，雖然由病人主訴症狀，但醫生還是會利用一些儀器檢查病人所提出的症狀，最後憑其專業上的判斷對症下藥。事實上，律師和顧客之間的關係也是一樣，顧客只是陳述他所遭遇的問題，他雖然可以提供自己的看法和解決問題的途徑，但訴訟的策略主要還是由律師決定。由於圖書館員的專業形象經常受到質疑，因此每當論及圖書館學是否專業時，學者們總是將館員與最具專業形象的醫生或是律師比較，所得的結果每每讓人覺得非常失望。一言以蔽之，如果館員的職責和能力均允許其找出讀者真正的資訊需求，那館員就和醫生一樣具備「診斷角色」（ diagnosis role ），這對加強圖書館的專業形象將有莫大助益。但目前普遍存在的情況是，在參考晤談的過程中，由於讀者對館員的信任程度不夠，再加上館員往往沒有時間也沒有能力找出讀者真正的資訊需求，因此大部分的館員並未致力於找出讀者原始或真正的資訊需求。所以學者們呼籲加強圖書館學專業教育，館員必須具備良好的溝通能力、了解問題的種類、充分認識各種參考資源的特色、熟悉各種檢索策略及技巧、並具備豐富的主題及學科知識等，才能成功地扮演其「診斷角色」。

　　Wilson 在其論及「表面價值原則」（ face value rule ）一文中曾經探討參考晤談的定位問題。（註 11 ）出人意料之外，一代宗師 Wilson 並不主張圖書館員必須扮演診斷角色,反倒認為表面價值原則是指導參考晤談的最高原則,此原則並不是劃地自限,只是更清楚地標示出專業的職責範圍,象徵著館員對參考晤談及檢索結果只負擔有限責任。一般而言,具有診斷角色的參考晤談原則通稱為「目的原則」(purpose rule)或「需要原則」(need rule),它將參考晤談的目的定位於找尋讀者真正或原始之資訊需求;表面價值原則則不然,它認為參考晤談的目的在於釐清含混不清的讀者問題,其只針對讀者所提出的問題進行溝通,並不打算探討讀者真正的資訊需求。(註 12)事實上,Wilson 之所以贊成表面價值原則,主要是由於參考問題的類型眾多,指示性問題(locational questions)通常不需要參考晤談,例如讀者詢問兒童室的位置或是中文期刊論文索引的位置,館員嘗試去探討其背後真正的資訊需求,似乎是小題大作且無此必要。既是原則,就表示其為概括性而非選擇性,因此當決定採取目的原則(或需要原則)時,即使讀者提出指示性問題,館員也得一一進行參考晤談,但若採取表面價值原則,只要設法回答讀者問題即可,剛好可以巧妙避開必須逐一詢問需求的困境。換句話說,選擇參考晤談的原則就等於界定圖書館員的職責,若以表面價值原則指導參考晤談,代表館員只負責回答問題,至於讀者對資訊的使用就不在館員專業職責的範圍之內。

由於表面價值原則難逃自廢武功之嫌,因此部分學者反對 Wilson 放棄診斷角色的說法。但在質疑 Wilson 的同時,不妨仔細深思，原始或真正的資訊需求到底對讀者有什麼實質的助益？事實上，任何人在撰寫報告（不管是學期報告或研究報告）時，可能都會歷經計劃構想之初、選定研究主題、確定研究主題的焦點、建立假設、設計研究方法與步驟、蒐集相關文獻資料及開始撰寫報告等不同研究階段，在這一連串過程中，資訊需求通常不斷產生變化，但愈接近報告完成時的資訊需求可能愈正確實用。也就是說，讀者往往不需要也不關心原始或真正的資訊需求，他們只是希望館員能幫忙找尋相關資訊以解決目前正在手邊的問題。因此，究竟是要追求原始的資訊需求，還是只要幫助讀者具體化並釐清問題即可，答案很可能是後者。就像病人看病一樣，病人常喜歡知道為什麼得病，但醫生往往不知其真正的病因，他們通常只是對症下藥，不過此做法並未損及醫生的專業形象。所以館員只要能夠幫助讀者將問題具體化並處理其中含混不清之處，他們的專業能力一定會得到相當的肯定。

最後再從實際的參考晤談來探討上述問題。White 曾經將參考晤談分為需求導向和問題導向二種模式。其中需求導向模式是指參考晤談的目的在了解讀者真正的資訊需求並據此發展檢索策略，而問題導向模式的目的則在了解讀者的問題所在並據此發展檢索策略。在其所檢視的 76 個錄影帶中，82.9%都屬於問題導向之參考晤談，此結果顯示問題導向模式在目前參考晤談上佔絕對優勢。（註 13 ）雖說問題導向之參考晤談模式在量上的優勢並不代表其在質上的優勢,但由於不可能也沒有必要逐一探索讀者真正的資訊需求,再加上館員只要能釐清並回答讀者問題即可成功的維護其專業形象,因此表面價值原則不失爲一理想之參考晤談準則。

第二節　參考晤談之四大層面

在探討參考晤談之四大層面前,必須先討論參考晤談的目的及其應詢問的內容。事實上,第一節末曾提及需求導向及問題導向二種參考晤談模式的不同目的,但由於此節中不再探討參考晤談的定位問題,因此合併上述二種晤談模式的目的,將參考晤談的目的界定爲二:一爲尋求讀者的資訊需求或了解讀者的檢索問題;二爲蒐集發展檢索策略或技巧時所需之相關資訊。(註 14)至於參考晤談的內容, Harter 曾歸納出 12 類必須在參考晤談中協商的問題,其內容相當詳盡,包括設法了解讀者之問題內容、使用人際溝通管道之技巧、了解問題及其文獻、選擇資料庫、選擇檢索詞彙、選擇檢索策略、擬定檢索敘述、設定檢索目標、設定檢索限制、決定輸出格式、教育讀者及進行檢索後晤談等 12 大項。(註 15)

White 曾從四個不同的角度探討參考晤談,由結構(structure)、一致性(coherence)、速度(pace)和晤談時間(length of the interview)四個觀點剖析參考晤談,

她並將此四個觀點（或角度）稱爲參考晤談之四大層面。（註
16）首先探討參考晤談的結構，一般而言，結構是指參考晤
談的內容及其安排方式。論及內容，當然必須先了解讀者提
出的檢索問題，如果不能深入探索其真正之資訊需求，至少
應該釐清問題所有含混不清之處。再者，館員必須和讀者溝
通問題的主題層面，同時找出該問題所涵蓋之條件限制，惟
有在檢索主題和檢索條件確定後，才能順利地列舉檢索詞
彙，並將其轉換爲系統所接受的檢索語言。此外，有些情境
限制很容易影響讀者對資訊的選擇與使用，館員必須在參考
晤談中充分和讀者討論這些情境因素，才能增加讀者利用相
關資訊的機率。舉例來說，假設館員進行參考晤談的對象是
一位大一新生，他尋求資訊的目的是爲撰寫期末報告，如果
報告的繳交日期就是第二天時，對他最有幫助的文獻很可能
只是一些簡短的介紹性文章；若換成另一種情境，繳交報告
的日期是在檢索過後一星期，讀者可能會希望相關文獻在附
近圖書館就可以找齊，因爲他無法負擔到遠距離圖書館尋找
資訊所花費的時間。除了情境限制外，一些個人變數所產生
的限制也必須在參考晤談中討論，假設讀者是爲他小學三年
級的女兒尋找相關資訊，那資料的淺顯易讀可能是此次檢索
的重點；或是讀者是一位認真嚴謹的學生，他可能比較需要
深入討論該主題的資料，這些情境因素對資訊的使用具有關
鍵性的影響。另外，由於讀者對該主題資訊的掌握程度對相
關判斷有很大的影響，因此讀者過去檢索該主題的歷史，也

應該在參考晤談溝通的範圍之內。舉例來說，假設讀者已經擁有 1993 年以前的資料，檢索者只要加入其後的新資料即可，不必重複列印過去的資料。如果讀者已經掌握某二位作者的作品，檢索者就可以事先將此二篇文章除去，當然也可將這二篇文章視為珍珠，以引用文獻滾雪球法之檢索策略進行檢索。最後以表 9-2 簡單歸納參考晤談結構層面應具備之內容，以作為進行參考晤談時之參考。（註 17）

表 9-2 ：參考晤談之結構層面

參 考 晤 談 應 涵 蓋 之 內 容
·問題或資訊需求本身
·檢索問題之主題
·檢索問題所涵蓋之條件限制
·影響資料選擇及使用之情境限制，如報告繳交日期等
·個人變數所產生的限制，如智力及態度等
·資訊需求者對該主題的過去檢索歷史

其次探討參考晤談之一致性。一般而言，一致性是來自館員對結構的認知，通常可藉系統化的連結方法整合參考晤談的內容，用以提高該次晤談之一致性。因此，館員可在參考晤談一開始即說明此次參考晤談的結構和內容，一方面讓讀者明白其架構和順序，另一方面讓讀者了解此次晤談的整體規劃。此外，在進行上述內容其各子部分之晤談時，可用轉折性語句加以轉折，並藉此說明各部分和整體之間的關

係；同時，在參考晤談過程中任何適當的時機，都可以將讀者所提供之資訊做一綜合性整理，以期讀者能充分領悟並感受到晤談過程中之一致性。（註 18 ）

再其次探討參考晤談進行之速度。一般而言，速度是指館員和讀者在晤談過程中資訊交換的速度和效率。在大部分的參考晤談中，晤談速度受問題型態之影響相當大，如果館員一直使用開放式問題（ open questions ）詢問讀者，那晤談時間可能會拖得很長；反之，館員若經常使用封閉式問題（ closed questions ）詢問讀者，那參考晤談可能會很快結束。（註 19 ）在定義上，封閉式問題的答案通常限制在少數事先提供的選項，其在答案上的限制相當嚴格，例如詢問讀者「有關參考晤談方面的文章，您是否曾閱讀過 Marilyn Domas White 的作品？」時，參考館員預期得到的答案通常只有「是」與「否」二個選項。開放式問題則不然，它的答案範圍相當廣泛，答題者有相當大的彈性可以決定答案的內容及其份量，例如詢問讀者「請說明您所閱讀過之有關參考晤談之文獻」時，讀者通常可自行選擇作品並暢所欲言。如果探討上述二種問題類型之效率，通常在讀者有能力清楚陳述問題的狀況下，開放性問題能夠獲得較多且較深入的資訊，再加上其提供讀者自由發揮的彈性，因此比較容易建立和讀者的合作關係並取得讀者之信任感，所以採用開放式問題通常可以得到較好的晤談效果。但如果讀者無法清楚說明其問題，開放式問題可能會造成冗長且低效率的晤談結果，爲了提高參考晤談的效率，參考館員必須以封閉式問題循序詢問讀者，以便蒐集設計檢索策略及技巧時所需之相關資訊。

　　除了問題型態會對參考晤談之速度造成相當大的影響外，問題的順序對參考晤談之速度也有決定性的影響。一般而言，問題順序在參考晤談中可分爲三種型態，分別是漏斗順序型（ funnel sequence ）、倒漏斗順序型（ reverse-funnel sequence ）和山洞順序型（ tunnel sequence ）。顧名思義，漏斗順序型就像漏斗的形狀一樣上寬下窄，代表問題的範圍由大入小，象徵這參考館員選擇問題的順序是由開放式問題逐漸轉向封閉式問題；而倒漏斗順序型正好相反，問題的範圍由小轉大，也就是選擇由封閉式問題逐漸轉向開放式問題之順序。至於山洞順序型，問題選擇的順序就像山洞一樣寬窄不變，意味著參考館員以同樣型態的問題連續詢問讀者，換句話說，當館員完全使用封閉式問題或是開放式問題時，即表示其採用山洞順序型來進行參考晤談。（註 20 ）圖 9-2 以簡單的圖形表達上述三種不同參考晤談之問題順序型態。在常態下，上述三種方法以漏斗順序型之效率最高，因此，參考館員通常會採用開放式問題問得所需資訊，如果所得資訊不夠完整，視需要再以若干封閉式問題取得進一步資訊。

　　此外，在參考館員和讀者互動的過程中，參考館員必須適時歸納自己或對方的言談結論，一方面可提供彼此確認資

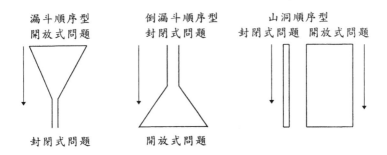

圖 9-2：三種問題順序型態圖解

訊正確性的機會，一方面也可作為繼續晤談的基礎。同時，對讀者適時的回應，不管是以實際語言或是肢體語言（可以微笑、點頭等表示鼓勵）表達，往往是鞏固館員和讀者之間合作關係之最佳方法。事實上，適當的資訊交換和動作回應，不但不會影響參考晤談進行的速度，往往還會提高參考晤談的效率。至於離題（ digression ）的言談在參考晤談中該如何處置，實在需要相當藝術才能拿捏得宜。有時為提高讀者興趣及其提供資訊的意願，離題成為「必要的惡」，試想在讀者很不耐煩或昏昏欲睡之時，偶爾提及其感興趣卻與晤談主題毫不相關的題外話（例如其得獎的研究或是其可愛的子女），也不失為維繫讀者與館員合作關係之合理手段。但為了不妨礙參考晤談之進行速度，自然不能毫無限制的離題，參考館員必須在必要離題時離題，也必須知道其所能容忍的離題限度，如此離題才不會造成過分冗長且毫無效率可

言之參考晤談，形成人力資源上的浪費。（註 21 ）

　　至於參考晤談的第四個層面－－晤談時間，其定義爲完成一參考晤談所耗費的時間，也就是所謂參考晤談的長度。（註 22 ）事實上，很多因素會影響到晤談時間長短，其中最明顯的爲問題本身的特性，有些問題相當單純，因此在短時間內即可晤談完畢，另外有些問題則十分複雜，必須花費相當長的時間才能結束晤談。所以一般圖書館在晤談時間上都給予參考館員相當大的彈性，以便充分獲得檢索所需之資訊。但爲避免館員將過多時間投資於同位一讀者身上，有些圖書館會限制最長參考晤談時間，明定所有的參考晤談皆不能長於規定時間。一般而言，當該圖書館有規範晤談時間之政策時，不但可避免在某些讀者上耗費過多時間，往往也可作爲參考館員在必要時精簡參考晤談之最好說辭。當然，在晤談過程中，參考館員必須視讀者外顯行爲斟酌參考晤談進行的速度，如果讀者已經顯得相當不耐煩，館員可能必須加快參考晤談進行的速度；反之，如果讀者正津津樂道某些和檢索主題相關的論點，不妨適時放慢參考晤談進行之速度。

第三節　參考晤談之評估

　　參考晤談之評估可以從多種不同的角度分別評估，其中比較重要的準則包括滿意度調查（註 23 ）、檢索者表現評估（註 24 ）、晤談內容（註 25 ）、館員態度（註 26 ）及檢索結果評估（註 27 ）等。首先探討滿意度調查，事實上，滿意度調查可以用最簡單的方法進行，也可以用相當複雜的問卷進行調查。最簡單的滿意度調查可以只詢問一個問題，請讀者告知他對此次參考晤談的滿意程度，以下是此種問題的最典型實例。（註 28 ）

敬請告知您對此次參考晤談的滿意程度：

1.非常不滿意

2.不滿意或沒意見

3.差強人意

4.滿意

5.非常滿意

如果要進行較為複雜的問卷調查，Harter 在其著名的 *Online Information Retrieval: Concepts, Principles and Techniques* 一書中提出 10 項會影響讀者滿意度的標準（註 29 ），表 9-3 將這些標準製成表格，以方便評估者設計問卷之用。一般而言，用來評估滿意度的標準包括參考晤談所花費的時間、精力和金錢、檢索結果的呈現及其效率、新穎性和效用、系統的檢索能力、檢索者之檢索技巧、以及資料庫之收藏範圍及品質等。表 9-3 中的每一個項目都必須針對每一個讀者逐項進行評估，但其中有些問題不必詢問讀者，參考館員可以根據檢索結果自行將答案填入，例如檢索所花費的時間和金錢等。至於需要詢問讀者的項目（如檢索結果的呈現、效用及新穎性等），可以將其設計為封閉式問題（如上頁之例，

但讀者必須逐項回答自己的滿意程度），也可將其設計爲開
放式問題，讓讀者擁有更多回答的彈性和自由。

表 9-3：影響讀者滿意度之標準

影 響 讀 者 滿 意 度 之 標 準
· 參考晤談及線上檢索所花費之時間
· 檢索結果的呈現及其列印格式
· 讀者所花費之精力
· 是否成功地完成讀者對檢索結果所預期的限制，如限制在 1992 年以後的文獻等
· 檢索花費之金錢
· 系統的檢索能力，如指令語言的功能和檔案結構的限制等
· 檢索館員的個人特質
· 資料庫收錄藏範圍及品質
· 檢索效益，如回收率和精確率
· 新穎性或效用

　　至於檢索者表現評估，通常是指檢索者的自我評鑑，因
爲讀者若請參考館員代爲檢索，象徵著其對線上檢索並不熟
悉，因此他們很難正確評估檢索者的表現。表 9-4 列舉檢索
者自我評估的項目，其中包括檢索者選擇資料庫、使用布林
邏輯運算元、選擇適當詞彙之能力、檢索者對資料庫結構及
檢索語言之了解程度、檢索者個人之檢索技巧及其反應能力
等。（註 30）事實上，檢索者之自我評估，是由檢索者的
觀點來看檢索，這是一個相當成熟健康的態度，惟有透過不
斷的自我批評，檢索者才可能精益求精，不斷增加其參考晤

談和線上檢索的能力。

表 9-4：檢索者自我評估項目表

檢 索 者 自 我 評 估 項 目 表
・選擇資料庫或檢索系統之適當性
・使用布林邏輯運算元之能力
・選擇適當詞彙的能力
・了解資料及檔案結構的程度
・對檢索語言之了解程度
・檢索策略及技巧的熟練程度
・檢索者在檢索過程中之反應能力，例如處理檢索過程中非預期情境的能力
・滿足讀者資訊需求的程度

　　行文至此，可以發現部分學者將參考晤談和檢索結果的評估混為一談，但事實上，良好的參考晤談並不保證產生成功的檢索結果，品質較差的參考晤談也未必會導致失敗的檢索結果。也就是說，目前尚無證據顯示參考晤談（或檢索晤談）和檢索結果間存在任何必然關係，因為除了參考晤談之品質外，很多其他因素也會影響到檢索結果，例如資料庫本身的收錄範圍、資料庫結構問題、檢索策略之優劣、及檢索問題本身的特性等。不過由於參考晤談之目的在蒐集完成一成功檢索所需之相關資訊，由結果來評估過程是一種相當自然且普遍的方法，因此部分學者習慣性地使用檢索結果來評估參考晤談的品質。雖說用檢索結果來評估參考晤談並不合

乎辨證邏輯，但可以確定的是，如果所有的相關資訊都在參考晤談中提及，則獲得較佳檢索結果之可能性也會隨之提高。不容諱言，某些檢索結果之所以不合人意，的確是由於參考館員在參考晤談的過程中忽略一些重要問題所導致。因此，評估參考晤談最好的方法可能不是經由檢索結果，而是根據參考晤談所涵蓋的內容及其進行方式加以評估。

在參考晤談涵蓋的內容方面，可將表 9-2 所描述之參考晤談結構轉換爲參考晤談應涵蓋之內容而後進行評估。首先，必須充分了解讀者的問題及造成其問題之真正資訊需求，並設法蒐集和問題及資訊需求有關之適當檢索詞彙。同時，參考館員必須詢問讀者和此次檢索有關之條件限制，其中比較重要的條件限制包括年代的限制、資料型態的限制、列印格式上的限制及所需相關資料之筆數等。事實上，讀者所需相關資料筆數對參考晤談的影響相當大，舉例來說，當讀者認爲愈多相關資料愈好，或是只需要 5 篇相關文章時，整個參考晤談的重點和型式都會有所不同。在內在限制方面（即表 9-2 中所指之個人變數所產生的限制），參考館員應該了解資訊需求者的智力、閱讀程度及其動機強弱，才不會犯下將研究型資料拿給小學生閱讀的錯誤。至於外在限制方面（即表 9-2 中影響資料選擇及使用之情境變數），參考館員應該知道檢索到資訊之可獲性及讀者繳交報告的期限等，因爲無法取得的資訊對讀者而言是無用的，而取得資訊卻無暇閱讀對讀者來說也是枉然。另外，參考晤談尚須詢問讀者對該主題過去之查詢歷史，除能更正確深入地了解讀者之真正資訊需求外，尚可藉此避免重複資料的出現，以提高檢索之新穎性（ novelty ）。一般而言，參考館員可根據表9-2 將其內容做更進一步細分，再利用自我評估的方式，逐一針對細分項目在參考晤談中被討論之程度進行評分。通常可以採用 5 個評級來量化每一項目被充分討論的程度，其中5 分代表此項目經過非常完整之討論， 4 分代表此項目經過充分討論， 3 分代表此項目經過部分討論， 2 分代表此項目曾被討論， 1 分則代表完全未論及此項目。最後再將每個細分項目所獲得的分數予以加總，即可得知該參考晤談在內容的涵蓋上是否有所疏失。此外，部分學者認為除了表 9-2 的項目外，最好再加上讀者對檢索成功的估計值，通常讀者預期成功率較高的檢索，其成功率往往也較高，因為讀者若覺得成功的機率較高，他比較不會輕易放棄檢索，即使碰到挫折也會設法解決。反之，如果讀者並不看好此次檢索，那他放棄檢索之機率則大為增加。

最後探討參考晤談進行方式之評估。在理想狀態下，參考晤談希望能在維持讀者興趣及合作的前提下，以最有效率的方式（通常意謂最快的速度）取得所有檢索所需之相關資訊。一般而言，館員的態度必須非常和藹可親，讓讀者樂於親近，才有可能達成上述目標。在參考館員的態度上，有很多項目可以列為評估的內容，例如館員的態度是否具建設性及親和力、館員是否經常使用術語（不當使用術語往往會引起讀者的反感）、是否經常打斷讀者談話、是否認真傾聽讀者談話的內容（館員也必須是良好的聽眾）及是否有一些引起讀者不悅的小動作（例如剔指甲或玩弄髮尾等）。另外，館員應該熟悉並掌握晤談技巧，才能以最快速度達成參考晤談的目的，因此館員必須知道使用封閉式問題和開放式問題的時機、必須適時延續問題以取得更多資訊、必須有良好的轉折問題的能力、嘗試用讀者的語氣和心態陳述問題、並知道適時使用總結性語句和讀者進行資訊交換或確認資訊的正確性等。（註 31 ）上述之館員態度或是晤談技巧，都可以列表讓讀者或館員進行評估，表 9-5 即為筆者根據上述內容自行設計之參考晤談進行方式評估表，讀者（資訊需求者）可使用五等評級或其他評級對表中項目逐一評估，最後再將分數予以加總，即可得知該次參考晤談在進行方式上之得分。當然，在加總分數時必須注意題目陳述的方向性，必須將所有題目轉為一致的方向，才不會發生分數互相消長的狀況。

　　總而言之，參考晤談是人與人之間非常複雜的溝通行為，它沒有一個一成不變的模式可以套用，也沒有絕對固定的內容和技巧可以應用。因此，如何完成一高品質且令讀者和館員皆滿意的參考晤談，除了有賴參考館員的學習和經驗外，參考館員也必須具備相當的敏感程度、觀察能力及應變能力，才有可能以最有效率的方式掌握最多的資訊，成功地完成各種不同性質之參考晤談。

表 9-5 ：參考晤談進行方式評分表

	評　估　項　目	得分
館員態度	館員態度是否具建設性和親和力	
	館員是否經常使用術語	
	館員是否經常打斷讀者談話	
	館員是否認真傾聽讀者談話	
	館員是否有引起讀者不悅的小動作	
晤談技巧	館員是否適時使用開放式問題及封閉式問題	
	館員是否適時延續問題以取得更多資訊	
	館員是否具備良好之問題轉折能力	
	館員是否嘗試以讀者語氣和心態陳述問題	
	館員是否適時使用總結性語句	

附　註

註 1:Robert S. Taylor, "Question-Negotiation and Information Seeking in Libraries," College & Research Libraries (May 1968), p. 180.

註 2:Ibid., p. 182.

註 3:Ibid., pp. 178-194.

註 4:Karen Markey, "Levels of Question Formulation in Negotiation of Information Need During the Online Presearch Interview: A Proposed Model," Information Processing & Management 17(5) (1981), pp. 215-225.

註 5:圖 9-1 為筆者參考 Taylor 和 Markey 的文章繪製而成。

註 6:Markey, op. cit., pp. 217-224.

註 7:Marilyn Domas White, "The Reference Encounter Model," Drexel Library Quarterly 19 (Spring 1983), pp. 38-55.

Marilyn Domas White, "Reference Interview Model," Unpublished paper (July 1984).

註 8:White 一文中仍以 Q1 到 Q5 表達不同的資訊需求阻礙程度，但為與 Taylor 及 Markey 之代號區分，筆者將其改為 C0 至 C4 ，以 C (constraints) 代表阻礙， C0 則代表完全沒有障礙的情況,使其代號更為清楚易懂。

註 9:Marilyn Domas White, "Reference Interview Model," Unpublished paper (July 1984).

註 10:探討此主題的文章不少，僅以較著名的二篇為代表：

Richard L. Derr, "A Conceptual Analysis of Informtaion Need," Information Processing & Management 19(5) (1983), pp. 273-278.

Stephen P. Harter, "Psychological Relevance and Information Science," Journal of the American Society for Information Science 43(9) (1992), pp. 602-615.

註 11:Patrick Wilson, "The Face Value Rule in Reference Work," RQ 25 (1986), pp. 468-475.

註 12:Ibid., pp. 469-470.

註 13:Marilyn Domas White, "Different Approaches to the Reference Interview," Reference Librarian 25/26 (Jan 1989), pp. 631-646.

註 14:Marilyn Domas White, "The Dimensions of the Reference Interview," RQ 20 (Summer 1981), pp. 373-381.

註 15:Stephen P. Harter, Online Information Retrieval : Concepts, Principles, and Techniques (New York : Academic Press, 1986), pp. 147-153.

註 16:White, op. cit., pp. 373-381.

註 17:Ibid., pp. 374-375.

此部分內容之綱要來自 White 1981 年之文章（見註 14），但其中例子及部分內容為筆者根據需要加入。

註 18:Ibid., pp. 375-376.

註 19:Ibid., p. 377.

註 20:Ibid., pp. 377-378.

註 21:Ibid., p. 378.

註 22:Ibid., p. 379.

註 23:Harter, op. cit., p. 153.

註 24:Ibid., p. 161.

註 25:White, op. cit., p. 374.

註 26:Ibid., pp. 375-379.

註 27:Harter, op. cit., pp. 155-161.

註 28:Ibid., p. 153.

註 29:Ibid., p. 154.

註 30:Harter, op. cit., p. 161.

註 31:White, op. cit., pp. 375-379.

第十章 檢索系統評估

　　檢索系統評估在資訊科學中可以算是一歷史悠久的領域，至少有 40 年以上的研究歷史。大概在 1950 年代，就有學者致力於檢索系統評估的研究，但此領域是在 1960 年代接受美國國家科學基金會（National Science Foundation）之研究獎勵後才漸趨成熟。在評估一般系統時，可以比較其成本和效益，但在評估文獻檢索系統時，似乎沒有這麼單純，因為有一種類似「檢索效益」（retrieval effectiveness）的特性必須被量化和質化，這種特性和被檢索出文獻的正確性、相關性或是被利用性有很大的關聯。如果能成功地質化和量化檢索效益，那最佳化檢索就不再是個難題，檢索系統評估所遭遇的問題也能迎刃而解。再者，在邏輯上，系統評估必須先於系統設計，否則設計者如何定奪所設計系統之優劣？所以在資訊科學或資訊檢索上，研究檢索系統評估有其絕對的必要性。

　　由於系統評估缺乏公認的標準，所以無法明確指出最佳之測量值，也不可能對成功的檢索加以定義。一般而言，討論系統評估的學者大致可分為相關派（relevance）和效用派（utility）兩大門派，目前相關派已佔絕對優勢，而且效

用派的理論早已被融入相關學派之中。因此現今最常使用的
檢索評估測量值還是相關導向的回收率（ recall ratio ）和精
確率（ precision ratio ）（註 1），但由於相關本身缺乏明確
的定義，再加上回收率及精確率存在反比的關係及無法正確
計算系統中相關文章的篇數，因此學者對檢索系統評估的質
疑也源源不斷。也就是說，系統評估的研究歷史雖然源遠流
長，但此領域還是有不少基本問題尚待解決，而且這些問題
短期內恐怕也都無法解決。正因如此，本章的重點在介紹目
前較常使用的測量值及實際用來評估檢索的標準，讓本書讀
者在先天不足的環境中，仍有一套可暫時用以評估系統的準
則。

第一節 回收率、精確率和雜訊比

從 1950 年代開始，系統評估在資訊科學中即扮演相當
重要的角色，但質化和量化檢索效益在理論和實際上一直都
無法突破，因此檢索系統評估也一直是資訊檢索領域尚待解
決的問題之一。事實上，研究檢索評估的學者不斷努力地尋
找合適的測量值來評估檢索效益，尤其是一個能用來正確評
估檢索效益的單一測量值，但到目前為止，還是無法成功地
達成此目的。

第一個被用來計算「檢索效益」的測量值是精確率，其
定義為所檢索到文章中相關文章的比例。這是一簡單易懂的

概念，檢索到的相關文章比例愈高，自然被歸類為較好的檢索。一般而言，精確率的公式如下：

公式 1: $p = \dfrac{a}{e}$

　　　p 表示精確率

　　　a 表示檢索到相關文章的筆數

　　　e 表示所有檢索到之文章筆數

　　大部分的學者對精確率都還算滿意，但他們也發現，兩次檢索的精確率可能一樣，可是所得相關資料的筆數卻差距很大。為了彌補上述現象所造成的問題，回收率成了第二個用來評估檢索效益的測量值。一般而言，回收率是指相關文獻被檢索出的比例，因此系統評估不僅考慮到拒絕不相關文獻的能力（精確率），同時也測量系統找到所有相關文獻的能力（回收率）。直到現在，在線上書目檢索系統中，回收率和精確率還是兩個最被接受並廣為使用的評估標準。以公式來表達回收率如下：

公式 2: $r = \dfrac{a}{f}$

　　　r 表示回收率

　　　a 表示檢索到相關文章筆數

　　　f 表示資料庫中所有相關文獻的筆數

　　很不幸的，回收率和精確率間存在一種反比的關係，因此，如果 A 系統精確率高但回收率低，而 B 系統的精確率低但回收率高，就無法論斷此二系統之優劣。在檢索中，如果要提高回收率，必定會降低精確率，反之亦然。也就是說，因為回收率和精確率呈反比的關係，因此檢索者不可能同時提高回收率和精確率，他必須在兩者之間做一選擇。一般而言，回收率和精確率只能應用在評估未經排序的檢索結果，如果要評估排序過的檢索結果，就必須使用「常態化精確率」（ normalized precision ratio ）和「常態化回收率」（ normalized recall ratio ）。在排序輸出中，由於回收率和精確率決定於停止點，因此當檢索到的文獻愈多時，回收率通常較高，但精確率會隨之而降。事實上，很多研究在評估檢索系統時即採用常態化精確率和常態化回收率，如最有名的 Cranfield 研究（註 2）和 Salton 的實證性研究（註 3）等，其所定義的常態化精確率（公式 3）和常態化回收率（公式 4）之公式如下：

公式 3: $\quad P_{norm} = 1 - \dfrac{\sum \log(ri) - \sum \log(i)}{\log[n! / ((N-n)! n!)]}$ （註 4）

P_{norm}　　表示常態化精確率

n　　　　表示檢索到相關文章的筆數

N　　　　表示所有檢索到之文章筆數

ri　　　　表示第 i 篇相關文章在所有檢索到文章中的順序

公式 4:　$R_{norm} = 1 - \dfrac{\sum ri - \sum i}{n(N-n)}$ （註 5）

R_{norm}　　　表示常態化回收率

n　　　　表示檢索到相關文章的筆數

N　　　　表示所有檢索到之文章筆數

ri　　　表示第 i 篇相關文章在所有檢索到文章中的順序

　　學者們繼續不斷地提出新的評估系統標準，許多新的測量值也因之陸續出現，雜訊比（ noise ）是其中比較重要的測量值之一。事實上，雜訊比的同義詞相當多，有人稱之為原子塵（ fallout ）或是廢棄物（ discard ），但不管其以何為名，可以得知都是檢索者不希望見到的現象，因此其比值自然是愈低愈好。一般而言，雜訊比的定義公式如下：

公式 5:　$f = \dfrac{b}{m}$

f　　表示雜訊比

m　　表示不相關文章的總數

b　　表示所檢索出不相關文章的筆數

　　最後擬以最具代表性之 2 乘 2 表格再次說明上述三個相當重要之測量值。（註 6） 表 10-1 顯示此 2 乘 2 表格之內容，其應用的範圍相當廣泛，它將所有文獻依其是否相關和是否被檢出分類。由表 10-1 可得知，a 代表相關文章被檢索出的筆數，b 代表不相關文章被檢索出的筆數，c 代表未被

檢索到之相關文章筆數，d 則代表正確回絕之不相關文章筆
數。因此，a 和 b 的聯集代表所有檢索出之文章筆數（不論
此文章是否相關），c 和 d 的聯集代表資料庫中所有未被檢
索出之文章筆數（不論此文章是否相關），a 和 c 的聯集代
表資料庫中所有相關文章的筆數（不管此文章是否被檢
出），b 和 d 的聯集則代表資料庫中所有不相關文章的筆數
（不管此文章是否被檢出）。因此，回收率、精確率和雜訊
比可透過表 10-1 一目瞭然地呈現在讀者眼前。整體而言，精
確率是指檢索到相關文獻的比例，回收率是指檢索到相關文
獻佔所有相關文獻的比例，而雜訊比則是檢索到不相關文獻
之筆數和資料庫中所有不相關文獻筆數之比值。當然，回收
率和精確率的值是愈高愈好，但雜訊比之值卻是愈低愈好。

表 10-1：回收率、精確率和雜訊比之 2 乘 2 表格

	相關	不相關	總數
檢出	a	b	a＋b
未檢出	c	d	c＋d
總數	a＋c	b＋d	a＋b＋c＋d

$$回收率 = \frac{a}{a+c} = \frac{檢索所得之相關文章筆數}{資料庫中所有相關文章筆數}$$

$$精確率 = \frac{a}{a+b} = \frac{檢索所得之相關文章筆數}{檢索所得之所有書目筆數}$$

$$雜訊比 = \frac{b}{b+d} = \frac{檢索所得之不相關文章筆數}{資料庫中所有不相關文章筆數}$$

資料來源：S. E. Robertson, "The Parametric
　　　　　Description of Retrieval Tests,"
　　　　　Journal of Documentation 25:1
　　　　　(1969), p.3.

第二節　效用派測量值

　　研究系統評估之學者一直企圖尋找一單一測量值來評估系統，此單一測量值可能是一新的測量值，也可能由舊有的諸多測量值組合成新的公式。因此部分學者提出以效用來代替相關在系統評估上的地位，他們認為系統應該檢出讀者認為有用（useful）的文章，而非相關（relevant）的文章，所以評估系統也應轉為評估檢索所得文章之效用和價值（worth）。上述效用是一單一標準，可以用來取代其他所有測量值。同時，效用派學者認為可利用錢等日常生活用品來量化效用，藉著詢問讀者這篇文章的效用是多少錢來評估檢索效益，也就是說，讀者認為這篇文章值多少錢，他願意用多少錢來換取這篇文章，是對「檢索效益」的精確測量值。

　　效用和回收率、精確率等測量值一樣，都成為評估系統的一種標準。但與回收率和精確率比較，效用就顯得複雜很多，實在不如回收率和精確率這麼自然易懂。同時，效用缺乏簡單明確的公式，因此在系統評估上，大多數學者都認為它充其量只是一個補充標準而已。

效用理論被提出後，學者們對它最大的攻擊是其沒有考慮到未被檢索到的相關文章之可能效益，也就是說，效用派忽略未被檢索到之相關文章的重要性。（註 7）但回收率和精確率一併使用則不然，因為回收率就是針對計算系統中未被檢索到的相關文章而設計。也正由於回收率考慮到未被檢出的相關文章，因此大部分學者都反對以效用為評估系統的單一測量值。但效用派的學者卻認為讀者不可能知道未檢索到文章的影響，更何況正確估算資料庫中所有相關文章的總數，本身就是一件不太可能的事。

效用派學者認為效用是評估系統最好的單一測量值，它是一種非常主觀的方法，讀者可依個人主觀決定該系統的效用，而許多讀者之效用平均值即可用來代表該系統的效用。一般而言，效用派學者根據效用理論（ utility-theoretic ）方法發展出若干公式來評估系統，但這些公式背後都有其預設狀況。

依其難易程度，效用派的公式大致上可以分為三級，最簡單的一種是應用在未經排序的輸出中，如果所檢索到的文章篇數不多，可以一一詢問讀者每篇文章的效用而予以加總，其公式如下：（註 8）

公式 6：　$U = V_1 + V_2 + V_3 + \dots\dots + V_n$

　　　　U　表示總效用

　　　　V　表示單篇文章之效用

第二個效用公式是假設讀者認為有用的文章之價值為常數 u（代表正效用），而讀者認為無用的文章之價值為常數 v（代表負效用）。因此在一次檢索中，假定總共檢索到 r 篇相關文章和 i 篇不相關文章，則該次檢索之效用可以下列公式表示之：（註 9）

公式 7: $U = ru + iv$

U 　表示總效用

r 　表示相關文章數目

u 　常數，表正效用

i 　表示不相關文章數目

v 　常數，表負效用

第三個效用公式是 William Cooper 非常有名的預期檢索長度（ expected search length ）的前身，主要是應用在經過大略排序（ weak ordering ）之輸出中。以此公式估算效用時，必須假設讀者預計檢索到 q 篇文章即能滿足其資訊需求，也就是說，當讀者檢索到 q 篇相關文章時即會離線。由於這是一經過大略排序的系統，若假設此序列中僅有 s 篇相關文章，那" $q-s$ "就是前面所有序列之相關文章總數。同時，延續公式 7，假設正相關文章的效用和負相關文章的效用皆為常數，加上用 r 來表示在停止序列中所有正效用文章的總數，以 i 來表示停止序列中所有負相關文章的總數，以 j 表示前面所有序列負相關文章的總數，此公式可書寫為：（註

10）

公式8:　$U = qu + \left(j + \dfrac{is}{r+1} \right) v$

U　表示總效用

q　表示相關文章總數

u　常數，表正效用

j　前面序列負相關文章之總數

i　停止序列負相關文章之總數

s　停止序列所欲找到相關文章之總數

r　停止序列所有正效用文章之總數

v　常數，表負效用

　　第四個效用公式即所謂的預期檢索長度。當比較兩個或兩個以上不同系統之績效時，由於假設 q、u、j和v的值不變，因此公式 8 可簡化爲：（註 11）

公式9:　$e.s.l. = \dfrac{is}{r+1}$

$e.s.l.$　預期檢索長度

i　停止序列負相關文章之總數

s　停止序列所欲找到相關文章之總數

r　停止序列所有正效用文章之總數

　　預期檢索長度是指在找到所需相關文章篇數前必須忍受的不相關文章篇數，也就是說，系統必須在讀者所能忍受的「挫折點」（ frustration point ）之前找到足夠的相關文章。
這是 William Cooper 在系統評估上所發展出的單一測量值，
它的最大長處在考慮到讀者所需的相關文章數目，最大缺點
則在於太過複雜 。 而且從表面上看來，效用派從公式 7 開
始，都有一些似是而非且過分簡化的假設，例如在公式 7 中，
假設所有的正相關文章等值（負相關文章亦等值），此問題
一直延續到公式 8 和公式 9 。

事實上， Cooper 的預期檢索長度，背後有其相當深奧
的哲理，他認為一個理想的檢索系統應該將讀者所檢索到的
不相關文章筆數極小化（正確的說法應該是負效用文章的筆
數），也就是說，在找到一篇相關文章時所附帶找到的不相
關文章筆數應該最小，因此預期檢索長度的值應該愈低愈
好。雖說花了很多時間才真正了解此公式的來龍去脈，也可
以明白他為什麼要假設 q 、 u 、 v 和 j 為定值，但對這種過
分簡化還是心中存疑。

上述四個效用公式的呈現方式不同，但它們都嘗試量化
相同的實體－－讀者效用（ user utility ）。一般而言，它們
都難逃過於簡化且似是而非之假設束縛，因此對效用派不抱
太大信心可能是明智的，也許根本就沒有簡單的公式能夠成
功地量化效用。不過，效用派的前途黯淡並不表示系統評估
必須退回回收率和精確率的二元評估，在 Cooper 心目中，
如果無法找出能成功評估系統的測量值（可能是單一測量
值，也可能是由數個測量值所組成的明確公式），那就暫時

擱置系統評估方面的研究。

　　效用派之所以在過去能佔有一席之地，即表示其理論一定有過人之處，而其地位在今日逐漸式微，除了其學理已被融入相關學派之中，更可能的原因是一直無法找出令人口服心服的量化標準。眼見 Cooper 在 60 年代對效用理論充滿自信的文字，到 70 年代晚期的執著和失望，不知該感慨效用派先天在理論上即有缺失，還是研究上的後繼無人所造成。事實上，相關派學者對相關更缺乏公認一致的定義，只是其用來評估系統的公式簡單自然，而且相關動態的本質有助於其吸收其他理論繼續成長，因此相關派早已超越效用派而成爲系統評估的主流。

第三節　檢索評估

　　檢索評估可謂系統評估的基礎，因爲只有在能成功地評估系統中每個單一檢索之績效後，才有可能真正做好系統評估的工作。一般而言，檢索評估的目的在於了解檢索結果滿足資訊需求的程度（註 12），這個問題通常不希望被視爲是非題來作答，最好能以相關資料筆數之多寡來表達對檢索滿意程度之強弱。通常資訊需求的滿足可以從很多不同的角度進行探討，其中較常被提及的觀點包括檢索之品質、檢索效率、檢索系統本身及檢索者之檢索技巧等。本節將針對這些不同的觀點一一進行討論。

　　首先探討檢索品質，一般而言，評估檢索品質最常使用的標準測量值是回收率和精確率，此二測量值在本章中曾多次以不同的方式呈現。在理論上，回收率是測試系統檢索到所有相關文章的能力，所欲測量的本質是檢索結果之完整程度，而精確率是測試系統拒絕不相關文獻的能力，其測量本質則為檢索結果之正確程度。因此，高回收率和高精確率通常代表高品質之檢索。事實上，回收率和精確率受到很多因素的影響，比如索引之詳盡程度，索引之專指程度，資訊需求者陳述檢索問題的能力，以及檢索者發展檢索策略及列舉檢索詞彙的能力等。因此比較二系統之優劣時，必須設法控制其他變因，在無法控制諸多變因的情境下，純粹比較各系統之回收率和精確率高低並不具太大意義。

　　其次從檢索效率的觀點來看系統評估，如果想衡量單次檢索之效率，可以從檢索所花費的時間和金錢來計算檢索效益，也就是說，透過每檢索到一筆相關資料所花費之時間或金錢來作比較。若以時間為單位，假設 A 檢索之單篇相關資料耗時 30.26 秒，而 B 檢索僅需 24.32 秒，可因此推定 B 檢索為較佳之檢索。若以所費的金錢進行比較，假設 A 檢索每篇相關文章平均耗費 8.76 元台幣，而 B 檢索卻需 10.28 元台幣，自然可由此推定 A 檢索為較佳之檢索。雖說可用單篇文章所耗費之時間或金錢來評估檢索效益，但此標準並不常應用於實際之檢索評估中，因為學者總認為純粹以金錢和時間的價值來評估系統過於冒險，在單篇文章花費低、費時少的情況下，還是可能發生遺漏重要相關文獻或是檢索出過多不相關文獻的窘況，所以回收率和精確率雙管齊下通常是較爲周全的方法。

　　至於檢索系統本身，可以從其親和力、回應時間和顯示格式三方面進行評估。在親和力上，通常讀者都希望能擁有使用容易之聰慧介面，方便其研擬檢索策略和檢索敘述，同時線上救援系統必須直接而適切，以簡單易懂的文字適時提供讀者必要的幫忙。因此，錯誤訊息最忌語意含糊，不宜以「語法錯誤」（ syntax errors ）代表所有有關語法錯誤之訊息，明確標出錯誤所在是設計錯誤訊息之最高指導原則。在回應時間上，幾乎所有的讀者都希望愈快愈好。一般而言，回應時間被定義爲讀者輸入指令至系統回應訊息間的等待時間，其快慢受到電腦設備、檢索問題之特性、使用人數及資料量大小之影響甚鉅。事實上，一個回應時間極爲緩慢的系統，等於是浪費讀者寶貴的時間在做無意義的等待，非常容易讓讀者產生反感。例如目前透過網路使用 STICNET 或是 DIALOG 系統時，經常爲網路上之塞車所苦，輸入指令後往往必須等待數分鐘後才見回應，這是目前極待解決的問題之一。在顯示格式上，理想之資訊系統除能以簡明的畫面呈現資訊外，最好還能提供讀者選擇顯示項目及順序之彈性，因爲良好的畫面設計可以幫助讀者以最快的速度掌握所需資訊，同時，自然悅目的畫面也可舒緩讀者在找尋資料時所面臨的壓力。

　　至於檢索者個人之能力與檢索技巧，對檢索結果的影響相當大，但一般進行檢索評估時，很少涉及對檢索者的評估，因為系統評估者總認為其評估的重點在系統和資料庫，因此往往只有在評估參考晤談時，才會深入探討有關檢索者之因素。事實上，資訊檢索是一連串人機互動的過程，檢索者永遠是資訊系統最重要的構成要件，因此在進行系統評估時，理想的狀況是將實際操作系統的檢索者列為評估項目之一。 Harter 即認為若要完整地考慮系統評估，必須將系統和人共同列入考量才有可能（註 13），他並認為這是系統評估上一個相當值得思索和努力的方向。表 10-2 嘗試以圖表方式說明可用來評估檢索者效益之項目，其中包括檢索者選擇資料庫的能力、選擇檢索系統的能力、使用布林邏輯結合概念的能力、使用詞彙表達概念的能力、了解資料庫結構及資料庫索引法的能力、使用檢索指令的能力、使用檢索技巧改進檢索的能力、處理突發事件的能力、及轉換資訊需求為檢索敘述之能力等。

　　除了上述標準外，尚有一些較不常被使用的評估標準，例如新穎程度（ novelty ）、讀者對檢索的主觀滿意程度、錯誤率及猶豫程度等。新穎程度是指檢索出讀者事先不知道的相關文章數目，一般而言，讀者檢索前就已經掌握的相關文章，系統可自動刪除，以避免重複列印資料和閱讀資料所

表 10-2：影響檢索結果之檢索者特質表

影響檢索結果之檢索者特質
· 選擇資料庫的能力
· 選擇檢索系統的能力
· 使用布林邏輯結合概念的能力
· 使用詞彙表達概念之能力
· 了解資料庫結構及資料庫索引法的能力
· 使用檢索指令的能力
· 使用檢索技巧改進檢索的能力
· 一些和檢索有關的個人特質，如彈性、接受新知程度、及處理突發事件的反應能力等
· 轉換資訊需求為檢索敘述之能力

資料來源： Stephen P. Harter, Online Information
　　　　　 Retrieval: Concepts, Principles, and
　　　　　 Techniques (New York : Academic Press,
　　　　　 1986), p.161.

損失的時間和金錢。不過，由於目前讀者對系統普遍存在一種不信任感，很多讀者會利用系統是否找出其已知之相關文獻大致判斷系統之優劣，倘若貿然除去重複資料且未告知讀者，很可能會加深讀者對系統的不信任感。同時，僅呈現相關且具新穎性的資訊象徵著系統必須完全了解讀者在檢索時的知識狀態，這對目前的資訊系統仍然是一個遙不可及的理想。至於讀者對檢索之主觀滿意程度（或是讀者認為此次檢索之成功程度），可謂是一概括性的評估，評估者希望藉此整合性問題來判斷檢索品質。 Su 在其一篇有關檢索評估測量值的文章中，即以讀者認為此次檢索之成功程度為評估所有測量值之標準。（註 14）但因為此概括性問題過於主觀，沒有考慮到系統找出相關文獻和拒絕不相關文獻的能力，因此在使用時必須相當小心。至於錯誤率在系統評估上的應用，由於系統愈容易使用，讀者犯錯的機率會降低，因此錯誤率較低的系統應為較佳之檢索系統。然而錯誤率高低和檢索品質之間並不存在絕對的關係，所以此標準通常僅能視為一輔助標準，以錯誤率為單一標準來評估系統並不十分恰當。至於猶豫程度，其定義為線上停頓時間和線上移動時間之比值，為筆者所提出的評估標準。（註 15）此標準假設讀者在線上思索猶豫的時間愈多，正是系統介面不夠理想之外在反應，因此當讀者之線上猶豫程度愈低，表示此系統為較佳之檢索系統。值得一提的是，猶豫程度和錯誤率一樣，其和檢索品質間並沒有絕對關係存在，因此最好不要單獨使用此標準進行系統評估。最後，嘗試將所有提及之系統評估標準彙整一處（見表 10-3 ），以供讀者快速參考之用。

在整個系統評估的歷史及應用層面上，回收率始終扮演一相當重要且具爭議性的角色，除了其和精確率成反比關係所衍生的問題外，無法正確得知資料庫中所有相關文章筆數也帶給回收率莫大的困擾。為了充分掌握回收率的數據，很多大型研究只能在實驗的環境下進行，但即使在實驗的環境中，往往也無法正確掌握所有相關文章的筆數，研究結果也因此被攻擊，第二次 Cranfield 研究就是一個非常好的實例。

表 10-3：系統評估之標準

系統評估之標準
• 回收率
• 精確率
• 檢索效益
每篇相關文章所花費之時間
每篇相關文章所花費之金錢
• 檢索系統
親和力
回應時間
顯示格式
資料庫收錄範圍
• 檢索者（見表 10-2）
• 新穎程度
• 讀者對檢索之主觀滿意程度
• 錯誤率
• 猶豫程度

（註 16）在圖書資訊學的研究中，學者們也嘗試發展出一些估計資料庫中相關文獻的方法，但這些方法都只能取得估計值，目前對正確掌握資料庫中相關文獻筆數尚一籌莫展。一般而言，比較常用來估計相關文獻筆數的方法有二，一為平行檢索法（ parallel searches ），一為插補法（ extrapolation ）。（註 17）所謂平行檢索法是指由數位資訊中介者針對同一問題同時進行檢索，假設共有 3 位檢索者，可以 A 檢索者所檢索出之相關文章為基礎，加上 B 檢索

者所檢索出之新的相關文章（即 A 檢索者並未檢索出之相關文章），再加上 C 所檢索出之新的相關文章（即 A 、 B 二檢索者都未檢索出之相關文章），也就是說，可以上述三位檢索者所檢索出之所有相關文章筆數，來估計資料庫中之所有相關文章筆數。通常在使用平行檢索法時，檢索者不能互相參考對方的檢索策略，而且必須在資料庫尚未更新前完成所有檢索。（註 18）不過，即使是多位檢索者針對同一問題進行檢索，相關文章還是有可能未被找出，因此平行檢索只能獲得估計的值，通常在檢索者愈多的狀況下，這個估計值會愈接近正確的值。至於插補法，這是一個較為抽象的估計方法，通常在使用此法時，必須在二個主題類似的資料庫中分別進行檢索（如 INSPEC 和 COMPENDEX ），例如要估計某檢索問題在 INSPEC 中之回收率，即可同時檢索 INSPEC 和 COMPENDEX 二資料庫。倘若在 COMPENDEX 資料庫中只檢索出 10 筆相關資料，而這 10 筆資料中只有 8 筆在 INSPEC 檢索中被找出，即可大致上推算 INSPEC 資料庫之回收率為 0.8，因為在回收率 100%的情況下，這 10 篇相關文章都應該在 INSPEC 資料庫中被找出來。當然，在估算回收率前必須先確定 INSPEC 資料庫中確實收錄上述二篇未被檢出之相關文章，否則會低估 INSPEC 資料庫之回收率（通常可以作者檢索快速確定資料庫是否收錄這些資料）。

附　註

註 1:Louise T. Su, "Evaluation Measures for Interactive Information Retrieval," Information Processing & Management 28:4 (1992), p.503.

註 2:Cyril Cleverdon, "The Cranfield Tests on Index Language Devices," ASLIB Proceedings 19:6 (1967), pp.173-194.

註 3:G. Salton, "The State of Retrieval System Evaluation," Information Processing & Management 28:4 (1992), pp.441-449.

註 4:Jean Tague-Sutcliffe, "The Pragmatics of Information Retrieval Experimentation, Revistied," Information Processing & Management 28:4 (1992), p.473.

註 5:Ibid.

註 6:S. E. Robertson, "The Parametric Description of Retrieval Tests," Journal of Documentation 25:1 (1969), pp.1-27.

註 7:William S. Cooper, "A Perspective on the Measurement of Retrieval Effectiveness," Drexel Library Quarterly (1979), p.33.

註 8:此公式是由 Cooper 在 1979 年所著文章中之文字敘述轉換而成，故在其本文中無法找到此公式。

註 9:Cooper, op. cit., p.36.

註10:Ibid.

註11:Ibid., p.37.
William S. Cooper, "Expected Search Length: A Single Measure of Retrieval Effectiveness Based on the Weak Ordering Action of Retrieval System," American Documentation 19 (1968), p.38-41.

註12:F. W. Lancaster, If You Want to Evaluate Your Library... (Champaign, Ill. : Univ. of Illinois Graduate School of Library and Information Science, 1988), p.129.

註13:Stephen P. Harter, Online Information Retrieval: Concepts, Principles, and Techniques (New York : Academic Press, 1986), p.161.

註14:Su, op. cit., pp.503-516.

註15:Mu-hsuan Huang, "Pausing Behavior of End-users in Online Searching," (Ph.D. diss., University of Maryland, 1992), p.17.

註16:Stephen P. Harter, "The Cranfield II Relevance Assessments: A Critical Evaluation," The Library Quarterly (1971), pp.229-243.
Don R. Swanson, "Some Unexplained Aspects of the Cranfield Tests of Indexing Performance Factors," The Library Quarterly (1971), pp.223-228.

註17:Lancaster, op. cit., pp.133-134.

註18:Ibid., p.133.

參考書目

中文部分

「Dissertation Abstracts 資料庫」。行政院國家科學委員會科學技術資料中心編。科技性全國資訊網路參考手冊。〔台北市〕：科資中心，民 83 年。

「中華民國博碩士論文資料庫」。行政院國家科學委員會科學技術資料中心編。科技性全國資訊網路參考手冊。〔台北市〕：科資中心，民 83 年。

行政院國家科學委員會科學技術資料中心編。科技性全國資訊網路參考手冊。〔台北市〕：科資中心，民 83 年。

吳美美。「言談分析和資訊檢索互動研究」。教育資料與圖書館學 30 卷 4 期（民 82 年 6 月），頁 340-350。

李志鍾撰；辜瑞蘭譯。「電子時代多媒體資源的資訊檢索」。國立中央圖書館館訊 12 卷 2 期（民 79 年 5 月），頁 4-8。

李德竹編著。圖書館學暨資訊科學詞彙。台北市：文華，民 82 年。

周曉雯。「線上檢索結果之評估」。書府 12 期（民 80 年 6 月），頁 108-125。

林珊如。「從終端使用者資訊檢索行為談圖書館的資訊服務政策及角色：實證研究之探討」。圖書與資訊學刊 13 期（民 84 年 5 月），頁 22-39。

林麗君。「線上資訊檢索方式的發展趨勢」。網路通訊雜誌 21 期（民 82 年 4 月），頁 108-111。

科技性全國資訊網路 STICNET 教育訓練資料。〔台北市〕：科資中心，民 84 年。

陳昭珍。「線上資訊檢索系統中自然語言的處理」。圖書館學刊（輔大） 23 期（民 83 年 6 月），頁 20-41。

陳敏珍。「主題分析與主題檢索初探」。國立台灣師範大學圖書館通訊 14 期（民 83 年 12 月），頁 4-8。

傅雅秀。「塔夫克塞拉西維克(Tefko Saracevic)與資訊檢索」。資訊傳播與圖書館學 1 卷 1 期（民 83 年 9 月），頁 66-74。

黃素真、林淑芳撰；陳文雅編。「國內重要線上資料庫檢索系統簡介與評估」。台北市立圖書館館訊 11 卷 1 期（民 82 年 9 月），頁 6-17。

黃淑蘭。「資料結構與資訊檢索策略」。中國圖書館學會會報 55 期
　　（民 84 年 12 月），頁 65-72。

黃雪玲。「資訊檢索中『相關』概念與『相關』判斷」。美國資訊科
　　學學會台北學生分會會訊 6 期（民 82 年 6 月），頁 84-106。

黃慕萱。「終端使用者之線上修改行為探討」。資訊傳播與圖書館學 1
　　卷 4 期（民 84 年 6 月），頁 53-70。

黃慕萱。「終端使用者之線上錯誤行為探討」。中國圖書館學會會報 54
　　期（民 84 年 6 月），頁 33-47。

黃慕萱。「終端使用者在線上檢索時的錯誤行為分析」。行政院國家
　　科學委員會專題研究計畫成果報告（民 83 年 1 月）。

黃慕萱。「線上檢索時使用者問題初探」。圖書與資訊學刊 11 期（民
　　83 年 11 月），頁 16-21。

黃慕萱。「線上檢索類型之研究」。資訊傳播與圖書館學 1 卷 1 期（民
　　83 年 9 月），頁 39-49。

蔡明月。「論線上目錄之主題檢索」。教育資料與圖書館學 33 卷 1
　　期（民 84 年 9 月），頁 53-67。

蔡明月。線上資訊檢索：理論與實務。台北市：台灣學生，民 80 年。

盧秀菊。現代圖書館組織結構理論與實務。台北市：文華，民 83 年。

謝清俊。「全文檢索的方法」。計算中心通訊 4 卷 16 期（民 77 年 8
月），頁 133-138。

英文部分

Aigrain, Philippe, and Veronique Longueville. "Evaluation of
Navigational Links between Images." Information Processing &
Management 28:4 (1992), pp.517-528.

"American Business Directory." In Searching Dialog : The Complete
Guide, p.531-1 to p.531-5. Mountain View, C.A. : Knight-Ridder
Information, 1995.

Armstrong, C. J., and J. A. Large, ed. Manual of Online Search Strategies.
2d ed. New York : G. K. Hall & Co., 1992.

Baker, Sharon L., and F. Wilfrid Lancaster. The Measurement and
Evaluation of Library Services. Arlington, Va. : Information
Resources Press, 1977.

Barry, Carol L. "User-Defined Relevance Criteria: An Exploratory
Study." Journal of the American Society for Information Science 45:3
(April 1994), pp.149-159.

Bates, Marcia J. "Information Search Tactics." Journal of the American Society for Information Science 30 (July 1979), pp.205-214.

--------. "Subject Access in Online Catalogs: A Design Model." Journal of the American Society for Information Science 37:6 (November 1986), pp.357-376.

--------. "Where Should the Person Stop and the Information Search Interface Star?" Information Processing & Management 26:5 (1990), pp.575-591.

Beaulieu, Micheline, Stephen Robertson, and Edie Rasmussen. "Evaluating Interactive Systems in TREC." Journal of the American Society for Information Science 47:1 (January 1996), pp.85-94.

Belkin, N. J. "ASK for Information Retrieval: Part I. Background and Theory." Journal of Documentation 38:2 (June 1982), pp.61-71.

--------. "ASK for Information Retrieval: Part II. Results of A Design Study." Journal of Documentation 38:3 (September 1982), pp.145-164.

Best, John B. Cognitive Psychology. New York: West Publishing, 1986.

Blair, David C. "STAIRS Redux: Thoughts on the STAIRS Evaluation, Ten Years After." Journal of the American Society for Information Science 47:1 (January 1996), pp.4-22.

Blair, David C. and M. E. Maron. "An Evaluation of Retrieval
    Effectiveness for a Full-Text Document Retrieval System."
    Communication of ACM 28:3 (1985), pp.289-299.

Bookstein, Abraham. "Relevance." Journal of the American Society for
    Information Science 30:5 (September 1979), pp.269-273.

Borgman, Christine L. The User's Mental Model of an Information
    Retrieval System: Effects on Performance. Ph. D. diss., Stanford
    University, 1983.

--------, Dineh Moghdam, and Patti K. Corbett. Effective Online Searching:
    A Basic Text. New York : Marcel Dekker, 1984.

Bruce, Harry W. "A Cognitive View of the Situational Dynamism of
    User-Centered Relevance Estimation." Journal of the American
    Society for Information Science 45:3 (April 1994), pp.142-148.

Buckland Michael K. "Relatedness, Relevance and Responsiveness in
    Retrieval Systems." Information Processing & Management 19:3
    (1983), pp.237-241.

--------, and Fredric Gey. "The Relationship Between Recall and
    Precision." Journal of the American Society for Information Science
    45:1 (January 1994), pp.12-19.

Burgin, Robert. "Variations in Relevance Judgments and the Evaluation of
    Retrieval Performance." Information Processing & Management 28:5

(1992), pp.619-627.

Bush, Vannevar, "As We May Think." Atlantic Monthly 176 (July 1945), pp.101-108.

Bysouth, Peter T., ed. End-user Searching: The Effective Gateway to Published Information. London : Aslib, 1990.

Chapman, Janet L. "A State Transition Analysis of Online Information Seeking Behavior." Journal of the American Society for Information Science 32 (September 1981), pp.325-333.

Chemical Information Seminar: Chemical Searching for Non-Chemists. Palo Alto, C. A.: Dialog Information Services, c1991.

Cleveland, Donald B. and Ana D. Cleveland, Introduction to Indexing and Abstracting. 2d ed. Englewood : Libraries Unlimited, 1990.

Clever, Elaine Cox, and David P. Dillard. "What Do CD-ROM Users Really Need?" Information Services and Use 11 (1991), pp.141-153.

Cleverdon, Cyril. "The Cranfield Tests on Index Language Devices." ASLIB Proceedings 19:6 (1967), pp.173-194.

--------, and J. Mills. "The Testing of Index Language Devices." ASLIB Proceedings 15:4 (1963), pp. 106-130.

Collins, A. M., and E. F. Loftus. "A Spreading Activation Theory of

Semantic Processing." Psychological Review 82, pp.407-428.

Convey, John. Online Information Retrieval: An Introductory Manual to Principles and Practice. 3rd ed. London : Library Association Publishing Ltd., 1989.

--------. Online Information Retrieval: An Introductory Manual to Principles and Practice. 4th ed. London : Library Association Publishing Ltd., 1992.

Cooper, William S. "A Definition of Relevance for Information Retrieval." Information Storage & Retrieval 7 (1971), pp.19-37.

--------. "Expected Search Length: A Single Measure of Retrieval Effectiveness Based on the Weak Ordering Action of Retrieval System." American Documentation 19 (1968), pp.30-41.

--------. "On Selecting a Measure of Retrieval Effectiveness. Part I." Journal of the American Society for Information Science 24:2 (March/April 1973), pp.87-100.

--------. "On Selecting a Measure of Retrieval Effectiveness. Part II : Implementation of the Philosophy." Journal of American Society for Information Science 24:6 (November/December 1973), pp.413-424.

--------. "A Perspective on the Measurement of Retrieval Effectiveness." Drexel Library Quarterly 14:2 (April 1978), pp.25-39.

Cox, John. Keyguide to Information Sources in Online and CD-ROM
Database Searching. London : Mansell, 1991.

Cruse. A. D. Lexical Semantics. London: Cambridge University Press,
1986.

Cuadra, Carlos A. and Robert V. Katter. "Opening the Black Box of
'Relevance'." Journal of Documentation 23:4 (1967), pp.291-303.

Database Catalogue. Mountain View, C.A. : Knight-Ridder Information,
1995.

Database Chapters. Mountain View, C.A. : Knight-Ridder Information,
1996.

Date, C. J. An Introduction to Database Systems. 4th ed. Vol. 1.
Massachusetts : Addison-Wesley , 1986.

Davison, Colin H. "Improved Design of Graphic Display in Thesauri:
Through Technology and Ergonomics." Journal of Documentation
42:4 (December 1986), pp.225-251.

Derr, Richard L. "A Conceptual Analysis of Information Need."
Information Processing & Management 19:5 (1983), pp. 273-278.

Dervin, Brenda., and Nilan Michael. "Information Needs and Uses." In
Annual Review of Information Science and Technology 21 (1986),
pp.3-33.

Dialog Pocket Guide 1992/1993. Palo Alto, C.A. : Dialog Information Services, 1992.

Dialog Price List. Mountain View, C. A.: Knight-Ridder Information, 1995.

DIALOG System Seminar Manual. Palo Alto, C.A. : Dialog Information Services, 1987.

Eisenberg, Michael B. "Measuring Relevance Judgments." Information Processing & Management 24:4 (1988), pp.373-389.

--------. "Order Effects: A Study of the Possible Influence of Presentation Order on User Judgments of Document Relevance." Journal of the American Society for Information Science 39:5 (1988), pp.293-300.

Ellis, David. "The Dilemma of Measurement in Information Retrieval Research." Journal of the American Society for Information Science 47:1 (January 1996), pp.23-36.

--------. New Horizons in Information Retrieval. London : The Library Association , 1990.

"ERIC." In Searching Dialog : The Complete Guide, p.1-1 to p.1-4. Palo Alto, C.A. : Dialog Information Services, 1987.

Fenichel, Carol H. "Online Searching Measures That Discriminate Among Users with Different Types of Experiences." Journal of the American

Society for Information Science 32 (January 1981), pp.23-32.

--------. "The Processing of Searching Online Bibliographic Database: A Review of Research." Library Research 2 (1980-1981), pp.107-127.

Fidel, Raya. "Moves in Online Searching." Online 9 (February 1985), pp.61-74.

--------. "Online Searching Style: A Case-study-based Model of Searching Behavior." Journal of the American Society for Information Science 35:4 (1984), pp.211-221.

--------. "Searchers' Selection of Search Keys: I. The Selection Routine." Journal of the American Society for Information Science 42:7 (1991), pp.490-500.

--------. "Searchers' Selection of Search Keys: II. Controlled Vocabulary or Free-Text Searching." Journal of the American Society for Information Science 42:7 (1991), pp.515-527.

--------. "Toward Expert System for the Selection of Search Keys." Journal of the American Society for Information Science 37:1 (1986), pp.37-44.

Froehlich, Thomas J. "Relevance Reconsidered--Towards an Agenda for the 21st Century: Introduction to Special Topic Issue on Relevance Research." Journal of the American Society for Information Science 45:3 (April 1994), pp.124-134.

資訊檢索 ·

Gardner, Howard. The Mind's of New Science: A History of the Cognitive
Revolution. New York: Basic Books, c1985.

Gilchrist, Alan. The Thesaurus in Retrieval. London: ASLIB, 1971.

Harman, Donna. "Evaluation Issues in Information Retrieval."
Information Processing & Management 28:4 (1992), pp.439-440.

Harter, Stephen P. "The Cranfield II Relevance Assessments: A Critical
Evaluation." The Library Quarterly 41:3 (July 1971), pp.229-243.

--------. Online Information Retrieval : Concepts, Principles, and
Techniques. New York : Academic Press, 1986.

--------. "Psychological Relevance and Information Science." Journal of
the American Society for Information Science 43:9 (1992), pp. 602-
615.

--------. "Variations in Relevance Assessments and the Measurement of
Retrieval Effectiveness." Journal of the American Society for
Information Science 47:1 (January 1996), pp.37-49.

Hartley, R. J. and others. Online Searching: Principles & Practice. London:
Bowekr-Saur, 1990.

Hersh, William. "Relevance and Retrieval Evaluation: Perspectives from
Medicine." Journal of the American Society for Information Science
45:3 (April 1994), pp.201-206.

· 302 ·

Hersh, William, Jeffrey Pentecost, and David Hickam. "A Task-Oriented Approach to Information Retrieval Evaluation." Journal of the American Society for Information Science 47:1 (January 1996), pp.50-56.

Howard, Dara Lee. "Pertinence as Reflected in Personal Constructs." Journal of the American Society for Information Science 45:3 (April 1994), pp.172-185.

Hsu, Hsiao-chi. "A Guide to the Science & Technology Information Center Network, R.O.C.." In SCI-TECH Information Management Workshop (September 11-23, 1995), ed. The Science and Technology Center, p.5-3. 〔 Taipei 〕 : the Science and Technology Center, 1995.

Huang, Mu-hsuan. "Pausing Behavior of End-users in Online Searching." Ph.D. diss., University of Maryland, 1992.

Hull, David A. "Stemming Algorithms: A Case Study for Detailed Evaluation." Journal of the American Society for Information Science 47:1 (January 1996), pp.70-84.

"Information Science Abstracts." In Searching Dialog : The Complete Guide, p.202-1 to p.202-2. Palo Alto, C.A. : Dialog Information Services, 1983.

"Information Science Abstracts." In Searching Dialog : The Complete Guide, p.202-1 to p.202-4. Palo Alto, C.A. : Dialog Information Services, 1993.

Ingwerson, Peter. "Search Procedures in the Library-Analyzed from the Cognitive Point of View." Journal of Documentation 38 (1982), pp.165-191.

James, Joseph W. "The Binary Nature of Continuous Relevance Judgment: A Study of User's Perceptions." Journal of the American Society for Information Science 42 (1991), pp.754-756.

--------. "Other People's Judgments: A Comparison of Users' and Others' Judgments of Document Relevance, Topicality, and Utility." Journal of the American Society for Information Science 45:3 (April 1994), pp.160-171.

--------. "Relevance Judgments and the Incremental Presentation of Document Representations." Information Processing & Management 27:6 (1991), pp.629-646.

Jones, Karen Sparck, ed. Information Retrieval Experiment. London : Butterworths, 1981.

Keen, E. Michael. "Presenting Results of Experimental Retrieval Comparisons." Information Processing & Management 28:4 (1992), pp.491-502.

Kemp, D. Alasdair. Computer-based Knowledge Retrieval. London : Aslib, 1988.

--------. "Relevance, Pertinence and Information System Development."

Information Processing & Management 10 (1974), pp. 37-47.

Kirby, Martha, and Naomi Miller, "Medline Searching on Colleague: Reasons for Failure or Success of Untrained End User." Medical Reference Services Quarterly 5 (Fall 1986), pp.17-34.

"Knight-Ridder Information: An Update." Chronology 23:6 (June 1995), p.95:101.

Kochen, Manfred, and Taclicozzo, "A Study of Cross-Reference." Journal of Documentation 24:3 (September 1968), pp.173-191.

Krasnewich, Trainor. Computers. 4th ed. New York : Mitchell McGraw-Hill, 1994.

Lancaster, F. Wilfrid. If You Want to Evaluate Your Library.... Champaign, Ill. : Univ. of Illinois Graduate School of Library and Information Science, 1988.

--------. Information Retrieval Systems: Characteristics, Testing and Evaluation. 2d ed. New York : Hohn Wiley & Sons, 1979.

--------. "Needs, Demands and Motivations in the Use of Sources of Information." 資訊傳播與圖書館學 1 卷 3 期 （民 84 年 3 月），頁 3-19 。

--------. Vocabulary Control for Information Retrieval. 2d ed. Arlington, Va. : Information Resources Press, 1986.

--------. and others. "Evaluation of Interactive Knowledge-Based Systems:
Overview and Design for Empirical Testing." Journal of the American
Society for Information Science 47:1 (January 1996), pp.57-69.

Larkin, Jill H., and Herbert A. Simon, "Why a Diagram Is (Sometimes)
Worth Ten Thousand Words." Cognitive Science 11 (1987), pp.65-99.

Ledwith, Robert. "On the Difficulties of Applying the Results of
Information Retrieval Research to Aid in the Searching of Large
Scientific Databases." Information Processing & Management 28:4
(1992), pp.451-455.

Li, Tze-chung. An Introduction to Online Searching. Contributions in
Librarianship and Information Science, no. 50. Westport, Conn. :
Greenwood Press, 1985.

"LISA." In Searching Dialog : The Complete Guide, p.61-1 to p.61-4. Palo
Alto, C.A. : Dialog Information Services, 1987.

Littlejohn, Alice C. "End-User Searching in an Academic Library : The
Students' View." RQ 26 (Summer 1987), pp.460-466.

Losee, Robert M. "Evaluating Retrieval Performance Given Database and
Query Characteristics: Analytic Determination of Performance
Surfaces." Journal of the American Society for Information Science
47:1 (January 1996), pp.95-105.

Markey, Karen. "Levels of Question Formulation in Negotiation of

Information Need During the Online Presearch Interview: A Proposed Model." Information Processing & Management 17:5 (1981), pp. 215-225.

Martin, James Martin. Computer Data-Base Organization. 2d ed. Englewood Cliffs, N.J. : Printice-Hall, 1977.

Mayer, Richard E. Thinking, Problem Solving, Cognition. New York: W. H. Freeman and Co., c1983.

McArthur, Tom. World of Reference: Lexicography, Learning and Language from the Clay Tablet to the Computer. New York : Cambridge University Press, 1986.

Meadow, C. T. "The Computer as a Search Intermediary." Online 3:3 (1979), pp.54-89.

Morris, Ruth C. T. "Toward a User-centered Information Service." Journal of the American Society for Information Science 45:1 (January 1994), pp. 20-30.

Mount, Ellis, and Beatrice Kovacs. Using Science and Technology Information Sources. Phoenix, India : Oryx Press, 1991.

Norman, D. A. "Categorization of Action Slips." Psychological Review 88 (1981), pp.1-15.

--------. "Some Observation on Mental Models." In Mental Models, ed. D.

Gentner and A. S. Stevens, pp.47-66. Hillsdale, N. J. : Lawrence Erlbaum Assoc., 1982.

Oldroyd, B. K. "Study of Strategies Used in Online Searching, 5 : Differences Between the Experienced and the Inexperienced Searcher." Online Review 8 (1984), pp.233-244.

Palmer, Roger C. Online Reference and Information Retrieval. Littleton, Colo.: Libraries Unlimited, 1987.

Pao, Miranda Lee. Concepts of Information Retrieval. Englewood, Colo.: Libraries Unlimited, 1989.

Park, Taemin Kim. "The Nature of Relevance in Information Retrieval: An Empirical Study." Ph. D. diss., Indiana University, 1992.

--------. "Toward a Theory of User-Based Relevance: A Call for a New Paradigm of Inquiry." Journal of the American Society for Information Science 45:3 (April 1994), pp.135-141.

Penhale, Sara J., and Nancy Taylor. "Integrating End-User Searching into a Bibliographic Instruction Program." RQ 26 (Winter 1986), pp.212-220.

Penniman, W. D. "A Stochastic Process Analysis of On-line User Behavior." In Information Revolution: Proceedings of the 38th ASIS (American Society for Information Science) Annual Meeting, ed. C. W. Husbands and R. L. Tighe, pp.147-148. Washington: American

Society for Information Science, 1975.

Perron, Carpon. Computers & Information Systems : Tools for an Information Age. 3rd ed. Redwood City, C.A. : The Benjamin/ Cummings Publishing Co., 1993.

Poisson, Ellen H. "End-User Searching in Medline." Bulletin of Medical Library Association 74 (October 1986), pp.293-299.

Pollock, Stephen M. "Measures for the Comparison of Information Retrieval Systems." American Documentation 19:4 (October 1968), pp.387-397.

Purgailis Parker, Lorraine M., and Robert E. Johnson. "Does Order of Presentation Affect Users' Judgment of Documents?" Journal of the American Society for Information Science 41:7 (1990), pp.493-494.

"Reference Guide to ERIC." In Database Chapters, p.1-5 to 1-64. Palo Alto, C.A. : Dialog Information Services, 1987.

Robertson, S. E. "The Parametric Description of Retrieval Tests. Journal of Documentation 25:1 (1969), pp.1-27.

--------, and M. M. Hacock-Beaulieu. "On the Evaluation of IR System." Information Processing & Management 28:4 (1992), pp.457-466.

Salton, G. "The State of Retrieval System Evaluation." Information Processing & Management 28:4 (1992), pp.441-449.

Saracevic, Tefko. Perspective in Information Seeking and Information Retrieving : Implications for Practice. Cleveland, Ohio: Case Western Reserve University, 1984.

--------. "Relevance: A Review of the Literature and a Framework for Thinking on the Notion in Information Science." in Advances in Librarianship. Vol. 6. ed. M. Voigt and M. Harris. New York: Academic Press, 1976.

--------. "A Study of Information Seeking and Retrieving. I. Background and Methodology." Journal of the American Society for Information Science 39:3 (1988), pp.161-176.

--------. "A Study of Information Seeking and Retrieving. II. Background and Effectiveness." Journal of the American Society for Information Science 39:3 (May 1988), pp.177-196.

--------. "A Study of Information Seeking and Retrieving. III. Searchers, Searches and Overlap." Journal of the American Society for Information Science 39:3 (May 1988), pp.197-216.

--------, and Paul Kantor. "A Study of Information Seeking and Retrieving. II. Users, Questions, and Effectiveness." Journal of the American Society for Information Science 39:3 (1988), pp.177-196.

Schamber, Linda and others. "A Re-examination of Relevance: Toward a Dynamic, Situational Definition." Information Processing & Management 26:6 (1990), pp.755-776.

Searching Dialog: The Complete Guide. Palo Alto, C. A.: Dialog Information Services, 1987.

Siegfried, Susan, Marcia J. Bates, and Deborah N. Wilde. "A Profile of End-user Searching Behavior by Humanities Scholars: The Getty Online Searching Project Report No. 2." Journal of the American Society for Information Science 44:5 (1993), pp.273-291.

Smithson, Steve. "Information Retrieval Evaluation in Practice: A Case Study Approach." Information Processing & Management 30:2 (1994), pp.205-221.

Soergel, Dagobert. "Indexing and Retrieval Performance: The Logical Evidence." Journal of the American Society for Information Science 45:8 (1994), pp.589-599.

--------. "Is User Satisfaction a Hobgoblin?" Journal of the American Society for Information Science 27:4 (July/August 1976), pp.256-259.

--------. Organizing Information: Principles of Data Base and Retrieval Systems. New York : Academic Press, 1985.

Su, Louise T. "Evaluation Measures for Interactive Information Retrieval." Information Processing & Management 28:4 (1992), pp.503-516.

--------. "The Relevance of Recall and Precision in User Evaluation."

Journal of the American Society for Information Science 45:3 (April 1994), pp.207-217.

Sutton, Stuart A. "The Role of Attorney Mental Models of Law in Case Relevance Determinations: An Exploratory Analysis." Journal of the American Society for Information Science 45:3 (April 1994), pp.186-200.

Swanson, Don R. "Some Unexpected Aspects of the Cranfield Tests of Indexing Performance Factors." The Library Quarterly 41:3 (July 1971), pp.223-228.

Tague-Sutcliffe, Jean. "The Pragmatics of Information Retrieval Experimentation, Revisited." Information Processing & Management 28:4 (1992), pp.467-490.

--------. "Some Perspectives on the Evaluation of Information Retrieval Systems." Journal of the American Society for Information Science 47:1 (January 1996), pp.1-3.

Taylor, Robert S. "Question-Negotiation and Information Seeking in Libraries." College & Research Libraries 29:3 (May 1968), p. 178-194.

Tenopir, Carol. "To Err Is Human: Seven Common Searching Mistakes." Library Journal 109 (April 1984), pp.635-636.

Tolle, John E. and Hah Sehchang. "Online Searching Patterns: NLM

Catline Database." Journal of the American Society for Information Science 36:2 (1985), pp.82-93.

Ullman, Jeffery D. Principle of Database and Knowledge-Base Systems. Vol. 1. Maryland : Computer Science Press, 1988.

Van Rijsbergen, C. J. Information Retrieval. 2d ed. London : Butterworths, 1979.

Vickery, B. C. "Knowledge Representation: A Brief Review." Journal of Documentation 42:3 (September 1986), pp.145-159.

Vigil, Peter J. Online Retrieval Analysis and Strategy. New York : John Wiley & Sons, 1988.

Wagner, Elaine. "False Drops: How They Arise...How to Avoid Them." Online 10:5 (September 1986), pp.93-96.

White, H. D., and B. C. Griffith. "Author Cocitation: A Literature Measure of Intellectual Structure." Journal of the American Society for Information Science 32:3 (May 1981), pp.163-171.

White, Marilyn Domas. "Different Approaches to the Reference Interview." Reference Librarian 25/26 (Jan 1989), pp. 631-646.

--------. "The Dimensions of the Reference Interview." RQ 20 (Summer 1981), pp. 373-381.

--------. "The Reference Encounter Model." Drexel Library Quarterly 19 (Spring 1983), pp. 38-55.

--------. "Reference Interview Model." Unpublished paper (July 1984).

Willetts, Margaret. "An Investigation of the Nature of the Relation Between Terms in Thesauri." Journal of Documentation 31:3 (September 1975), pp.158-184.

Wilson, Patrick. "The Face Value Rule in Reference Work." RQ 25 (1986), pp. 468-475.

--------. "Situational Relevance." Information Processing & Management 9 (1973), pp.457-471.

--------. "Some Fundamental Concepts of Information Retrieval." Drexel Library Quarterly 14:2 (April 1978), pp.10-24.

--------. "Unused Relevant Information in Research and Development." Journal of the American Society for Information Science 46:1 (1995), pp.45-51.

Wozny, Lucy Anne. "Online Bibliographic Searching and Student Use of Information: An Innovative Teaching Approach." School Library Media Quarterly 11 (Fall 1982), pp.35-42.

中 文 索 引

六畫

七畫

十五畫

十六畫

十八畫

十九畫

英 文 索 引

< H >

< I >

國家圖書館出版品預行編目資料

資訊檢索

黃慕萱著. – 初版. – 臺北市：臺灣學生，1996
面；公分
參考書目：面
含索引

ISBN 978-957-15-0739-2(平裝)

1. 資訊儲存與檢索系統

028   85002468

資訊檢索

著　作　者　黃慕萱
出　版　者　臺灣學生書局有限公司
發　行　人　楊雲龍
發　行　所　臺灣學生書局有限公司
地　　　址　臺北市和平東路一段 75 巷 11 號
劃 撥 帳 號　00024668
電　　　話　(02)23928185
傳　　　真　(02)23928105
E - m a i l　student.book@msa.hinet.net
網　　　址　www.studentbook.com.tw
登記證字號　行政院新聞局局版北市業字第玖捌壹號
定　　　價　新臺幣五〇〇元

一 九 九 六 年 三 月 初 版
二 〇 二 二 年 六 月 初版二刷